Serie Bianca  Feltrinelli

CARLO COTTARELLI
I SETTE PECCATI CAPITALI DELL'ECONOMIA ITALIANA

www.feltrinellieditore.it
Libri in uscita, interviste, reading,
commenti e percorsi di lettura.
Aggiornamenti quotidiani

razzismobruttastoria.net

Maresciallo Topponi (Aldo Fabrizi): "Lei deve scusarci ma noi facciamo il nostro dovere". Cavalier Pezzella (Totò): "E le pare una cosa corretta questa?".

I tartassati (1959)

Ma non nascondo neanche la voglia che ho di dare un posto decente a quel figlio che avrò forse fra un giorno fra un mese o fra vent'anni non sarà giusto che lui paghi i miei danni.

JOVANOTTI (1991)

Come non bastano le antiche glorie a darci la grandezza presente, così non bastano i presenti difetti a toglierci la grandezza futura, se sappiamo volere, se vogliamo sinceramente rinnovarci.

PIERO GOBETTI (1918)

Introduzione

C'è a questo mondo una sola cosa peggiore
del peccato: negare di essere peccatori.

FULTON J. SHEEN, arcivescovo e star televisiva

L'economia italiana è cresciuta poco negli ultimi
vent'anni. Dal 1999 al 2016 il Prodotto interno lordo italiano (cioè quanto si produce in un anno), al netto dell'inflazione, è cresciuto solo del 4 e mezzo per cento, una media
dello 0,25 per cento all'anno. Il reddito pro capite è invece
sceso del 2 per cento. Nel 1999 il reddito pro capite di un
tedesco, in termini di potere d'acquisto, era solo del 5 per
cento più alto di quello di un italiano. Oggi è del 25 per
cento più alto. La nostra economia ha accelerato un po'
nel 2017, ma hanno accelerato anche tutti gli altri paesi.
Se fosse una corsa ciclistica, sarebbe come rallegrarsi di
andare più veloci senza accorgersi di avere iniziato un
tratto in discesa. In realtà, anche in discesa il distacco dal
gruppo sta aumentando. Nel 2017 si stima che siamo cresciuti dell'1,5 per cento; il resto dell'area euro è cresciuto
del 2,3 per cento, anche se in termini di reddito pro capite
siamo meno lontani dalla media. Perché l'Italia cresce poco, e cosa potrebbe fare per crescere di più?

Questo libro vi parla di sette peccati capitali che afflig-
gono l'economia italiana, riducendone le possibilità di crescita. I primi sei (l'evasione fiscale, la corruzione, l'eccesso
di burocrazia, la lentezza della giustizia, il crollo demografico, il divario tra Nord e Sud del paese) riflettono problemi
di lunga durata. In quanto tali non possono essere, di per sé,
la causa della stagnazione del Pil nell'ultimo ventennio, anche se possono aver contribuito. L'ultimo è invece relativa-

mente più recente: la difficoltà dell'economia italiana a convivere con l'euro, ed è questo che, probabilmente, ha causato il peggioramento nella nostra performance economica, già di per sé non particolarmente brillante, negli ultimi due decenni. Quello che è successo è che, per un insieme di rigidità di comportamenti e strutture, non siamo stati capaci di adeguarci a vivere con una moneta comune al resto dell'Europa, perdendo competitività e potenzialità di crescita.

Quanto sono importanti questi sette peccati capitali nel frenare l'economia italiana? A cosa sono dovuti? E davvero pecchiamo più degli altri? Vedremo che la risposta non è la stessa per tutti i peccati. Vedremo anche che in alcuni casi si sta facendo qualcosa per risolvere i problemi. Ma, in generale, i progressi sono ancora troppo limitati.

Eppure intervenire diventa sempre più urgente. C'è chi dice che per far crescere l'economia italiana occorra tornare alla lira, proprio per recuperare la competitività che abbiamo perso quando siamo entrati nell'euro. Sarebbe un errore. Sarebbe come dire che è meglio giocare in serie B perché continuiamo a perdere in serie A. Comporterebbe, come vedremo, altissimi costi di aggiustamento, e finirebbe per emarginarci. Per restare in serie A e riprendere a vincere dobbiamo invece risolvere i problemi di lungo periodo. Questo ci aiuterà a recuperare produttività e competitività senza dover lasciare la moneta unica e l'Europa. Forse potevamo permetterci di peccare quando eravamo meno integrati con il mondo, e potevamo cercare di risolvere i nostri problemi di crescita svalutando la lira ogni tanto. Ora non ce lo possiamo più permettere.

Prima di proseguire vorrei chiarire tre cose. Primo, non pretendo di essere esaustivo nel mio elenco: l'economia italiana soffre perché commettiamo anche altri peccati, ma ho preferito restare sul classico numero di sette (parlare di undici peccati capitali sarebbe un po' strano, no?), concentrandomi su alcuni che ritengo particolarmente rilevanti. Secondo, i peccati di cui parlo sono spesso tra loro collegati. In un paese con una burocrazia troppo macchinosa, la corruzione è più frequente. Inoltre, è più difficile combattere l'evasione fiscale, anche perché il contribuente paga meno volentieri se sa che i propri soldi alimentano un'inefficiente burocrazia. In un paese corrotto si tenderà poi a introdurre più controlli amministrativi, aumentando ulteriormente il peso della burocrazia. In un paese in cui ci sono poche risorse da destinare all'assistenza infantile perché si evadono troppe tasse, si fanno meno figli e si cresce di meno. Se la giustizia è lenta, diventa più difficile combattere corruzione ed evasione fiscale. E così via. Questa interrelazione tra peccati è però anche un vantaggio: risolvere un problema permette di risolverne altri. Quel che dobbiamo fare è proprio avviare un circolo virtuoso. Terzo, per nessuna delle questioni trattate in questo libro esistono soluzioni miracolose. Non illudetevi. Occorrerà rimboccarsi le maniche e avere pazienza. In alcuni casi, i rimedi potranno essere trovati solo col tempo. Ma il primo passo per risolvere i problemi è quello di rendersi conto di quanto siano gravi e di quanto ci possano nuocere, come ci ricorda la citazione all'inizio di questa introduzione. È per questo che mi occupo dei vizi, non delle virtù della nostra economia, virtù che pure sono tante.

Ringrazio per i commenti ricevuti Antonio Bassanetti, Cristina Collura, José Garrido, Marco Manzo, Daniela Marchesi, Valeria Miceli, Pierella Paci, Annalisa Santini e Laura Valli. Vorrei anche ringraziare Chiara Girolami per l'aiuto fornito nella cura del testo.

Come per i precedenti miei due libri editi da Feltrinelli, i diritti d'autore saranno donati all'Unicef.

1. Evasione fiscale

Vite basse consacrate alle tasse
Fanno l'occhiolino a belzebù.

FRANCESCO GABBANI

Benjamin Franklin un giorno sentenziò: "In questo mondo, non c'è niente di certo, tranne la morte e le tasse". Avrebbe forse riconsiderato questo suo aforisma se fosse vissuto in Italia. L'evasione fiscale resta un vizio comune nel nostro paese, un vizio che però non tutti si possono permettere. C'è chi le tasse le paga e chi non le paga. O, forse dovremmo dire, c'è chi le tasse non può evaderle e non lo fa e chi può evaderle e lo fa. Sì, perché la differenza tra chi paga e chi non paga non riguarda solo l'onestà delle persone: riguarda anche la possibilità di evadere. Ma non generalizziamo troppo e procediamo passo per passo.

In questo capitolo vedremo cosa significa evadere le tasse (non è poi così ovvio), quanto si evade in Italia e all'estero, perché si evade, perché l'evasione nuoce all'economia, cosa si è fatto per risolvere il problema e cosa ancora si può fare. Senza dimenticarci che esistono purtroppo anche effetti collaterali spiacevoli – non vorrei dirlo ma non vi posso contare storie – dalla riduzione dell'evasione, almeno nel breve periodo.

Evasione, elusione ed erosione fiscale

Cosa vuol dire "evadere le tasse"? In senso stretto, vuol dire porre in essere consapevolmente dei comportamenti

11

illegali per non pagare quanto è dovuto. L'evasione comporta la violazione di una legge. Possono esserci altri motivi per cui non si pagano tasse dovute, per esempio per errore. Quindi il concetto di tasse non pagate (in inglese spesso si parla di *tax gap*) è un po' più ampio di quello di tasse evase. La stragrande maggioranza delle tasse non pagate è però rappresentata dalle tasse evase, cioè tasse per cui intenzionalmente si è deciso di non pagare, magari spinti dalle circostanze, ma non per errore. Per cui nel seguito, per semplicità, non farò una distinzione esplicita tra tasse evase e tasse non pagate per altri motivi. Spero che i puristi mi perdoneranno.

Oltre che di evasione fiscale, si parla spesso di "elusione fiscale" e di "erosione fiscale". Che differenza c'è tra evasione, elusione ed erosione? Come ho detto, l'evasione comporta la violazione della legge. L'elusione implica invece un comportamento più ambiguo: cercare di risparmiare su quanto si paga senza violare formalmente le leggi, ma sfruttandone le ambiguità interpretative. È un'area grigia, che spesso esiste perché le norme fiscali lasciano spazio a interpretazioni. E cosa si intende per "erosione fiscale"? Qui la perdita di gettito per lo stato non deriva da comportamenti illegali o ambiguità nella scrittura e interpretazione delle leggi, ma dalla decisione del legislatore di esentare certe attività o certi soggetti dalla tassazione, per perseguire finalità di interesse generale (per esempio, quando si esentano dalle tasse le aree terremotate) o, talvolta – forse spesso –, per fare gli interessi di qualche lobby. Seppure i temi dell'elusione e dell'erosione fiscale siano ugualmente importanti, in questo capitolo, ripeto, mi soffermerò sulla vera e propria evasione, di cui, rispetto all'estero, soffriamo senz'altro di più.[1]

Quante tasse paghiamo

Credo sia utile, prima di capire quanto *non* si paga, capire quanto si paga, come si paga e, soprattutto, chi paga. Quanti soldi entrano ogni anno nelle casse delle pubbliche amministrazioni (lo stato centrale, le regioni, le province, i comuni)? Il ministero dell'Economia e delle Finanze ci dice che nel 2016 sono entrati nelle casse pubbliche 807 miliardi. Non si tratta solo di entrate fiscali. Sono comprese, infatti, le somme che la pubblica amministrazione riceve vendendo servizi alla popolazione, o incassando interessi sulle proprie attività, affitti, dividendi, e trasferimenti che lo stato riceve dall'Unione Europea. Ma il grosso (oltre il 90 per cento) è costituito da entrate di natura fiscale, tasse e contributi sociali, che nel 2016 ammontavano a 731 miliardi. Sono queste entrate l'oggetto di questo capitolo. O meglio, l'oggetto del capitolo sono i miliardi che non entrano nelle casse della pubblica amministrazione perché c'è chi le tasse non le paga. Ma continuiamo per ora a capire chi le paga.

731 miliardi, più un paio di miliardi pagati dagli italiani come tasse europee, vogliono dire il 42,6 per cento del Pil. È questo l'indice comunemente usato per misurare la "pressione fiscale" in Italia. In realtà, la pressione fiscale è un po' più bassa (di circa 10 miliardi) perché l'Istat non considera come riduzione di tasse gli 80 euro al mese di taglio del costo del lavoro introdotti dal Governo Renzi nell'aprile 2014. Il motivo per cui l'Istat non li considera come detassazione è interessante: gli 80 euro di detassazione sono stati introdotti non tagliando le aliquote di tassazione, né cambiando la definizione della base imponibile, ma semplicemente stabilendo che chi ha un lavoro dipendente e guadagna meno di una certa cifra riceve un "bonus" di 80 euro al mese. Per l'Istat, però, questo, sulla base di definizioni consolidate, equivale a un trasferimento, e quindi a una spesa, non a un taglio di tassazione. Perché il governo decise di operare in questo modo? Essenzialmente perché, se si fossero ridotte, per esempio, le aliquote di tassazione, non tutti i beneficiati avrebbero ottenuto esattamente 80 euro. Magari uno riceveva 70,56 euro e un altro 82,30 euro, il che ai piani più alti del governo non sembrava efficace dal punto di vista comunicativo, di immagine. Insomma, si voleva che tutti capissero quale fosse esattamente lo sconto sulle proprie tasse: 80 euro. Il

fatto è che, per questo problema di immagine, nelle statistiche internazionali continueremo ad apparire con una pressione fiscale più alta di quella effettiva, il che non è molto utile, sempre per questioni di immagine... Ma siccome qui si guarda alla sostanza, riclassifico i dati dell'Istat per gli 80 euro e ottengo una pressione fiscale un po' più bassa di quella ufficiale, intorno al 42 per cento.

La nostra pressione fiscale è più alta di quella dei paesi avanzati (è intorno al 35 per cento nei paesi dell'Organizzazione per la cooperazione e lo sviluppo economico, l'ente che raccoglie le maggiori economie di mercato) e di quella dei grandi paesi europei (il Regno Unito è al 34 per cento, la Spagna al 37 per cento, la Germania al 40,5 per cento) tranne la Francia, che è quasi al 48 per cento. Ma non è solo questo il problema. Il problema è anche che l'evasione in Italia è più alta di quella degli altri paesi, per cui la pressione finisce per essere ancora più elevata per chi le tasse le paga. L'Istat, infatti, include nei dati del Pil una stima dell'economia sommersa, quella che presumibilmente non paga le tasse, che valeva intorno al 13 per cento del Pil nel 2014.[2] Quindi il rapporto tra tasse pagate e il Pil di quella parte del paese che le paga (che è più basso, rispetto al Pil ufficiale, appunto del 13 per cento) è, potete calcolarlo anche voi, di oltre il 48 per cento. In altre parole, per chi non evade, quasi la metà del reddito va in tasse. Certo, anche negli altri paesi avanzati si evade, per cui il livello di pressione effettiva su chi paga è più alto anche là, ma, come vedremo, il problema è molto più pronunciato in Italia che all'estero.

I 731 miliardi versati al fisco (più due versati all'Europa) sono costituiti da tre mega-voci e da una lista infinita di tasse e balzelli vari. Le tre mega-voci sono i contributi sociali (che ammontavano a 226 miliardi), l'Irpef (l'imposta sul reddito delle persone fisiche per circa 190 miliardi) e l'Iva (circa 105 miliardi). C'è poi la tassa sul reddito delle società (l'Ires), che però fa poco più di 30 miliardi e l'Irap (l'imposta regionale sulle attività produttive) con un'altra trentina di miliardi. I restanti 150 e rotti miliardi sono un mare di altre voci più o meno grandi (le accise sulla benzina, le ritenute alla fonte sugli interessi, l'imposta sulla birra, e così via).

Chi paga queste tasse? Vi sembrerà strano, ma non è così facile dirlo. Si conosce chi versa queste tasse al fisco. Ma chi sostiene il carico della tassazione non corrisponde necessariamente a chi versa. Questo è un punto importante: io posso tassare Tizio ma se poi Tizio per compensare la maggiore tassa aumenta il prezzo dei servizi che fornisce a Caio, allora la tassa finisce per pagarla Caio. Se io aumento, per esempio, i contributi sociali a carico dell'impresa ma questa impresa si rifà riducendo il salario pagato al lavoratore (o non concedendo aumenti di stipendio) alla fine chi paga la tassa è il lavoratore. Le cose sono ugualmente complicate per le imposte sui consumi. Chi paga alla fine l'Iva? Se io aumento l'Iva di un punto, aumentano i prezzi o i commercianti accetteranno un profitto più basso? E così via. Alla fine, sono le forze del mercato, la domanda e l'offerta, che determinano chi, in ultima analisi, paga le tasse. Detto questo, non fidatevi molto di chi enfatizza troppo questo punto: nell'esempio di prima, state pur certi che Tizio sarà pronto a usare questo argomento per evitare che gli venga imposta una nuova tassa. Ma, al tempo stesso, non possiamo dimenticarcene completamente, anche nel valutare chi alla fine pagherebbe se si evadesse di meno, come discusso al termine di questo capitolo.

Quanto si evade in Italia

A quanto ammontano le tasse e i contributi sociali che dovrebbero essere pagati e non lo sono? Non si sa esattamente, ma ci sono delle stime per l'Italia e per l'estero. Queste stime sono di solito basate su informazioni inerenti l'attività economica complessiva di un paese, e quindi sulla base imponibile, di fonte non tributaria. Date le aliquote di tassazione si arriva poi a una stima del gettito teorico. Per esempio, semplificando, se l'Istat stima che i consumi degli italiani sono 100 e se l'aliquota Iva, che è una tassa sui consumi, è del 20 per cento, allora il gettito teorico è 20. Se quello effettivo è 15, allora l'evasione è di 5. Il metodo di calcolo è solitamente ben più complicato che in questo esempio, ma l'idea è quella.[3]

L'ultimo rapporto ufficiale che ci dà una stima di quanto viene evaso in Italia, basata sull'approccio descritto, è quello della commissione guidata da Enrico Giovannini e costituita in base a una legge del settembre 2015, comprendente docenti universitari, rappresentanti di vari ministeri, dell'Agenzia delle entrate, dell'Istat, della Banca d'Italia, ecc.[4] Questo rapporto calcola che l'evasione sia stata pari a 111 miliardi nel 2014. Il rapporto ci dice anche che, per le sole tasse (il dato non è riportato per i contributi sociali) la percentuale di evasione (quanto è evaso rispetto a quanto si sarebbe dovuto pagare) è di quasi il 24 per cento. Insomma, in media non si paga quasi un euro su quattro. In media, ma non tutte le tasse sono evase in modo uguale. La percentuale di evasione per l'Irpef sul lavoro dipendente è bassissima (meno del 4 per cento), mentre quella sul lavoro autonomo è la più alta (il 68 per cento). L'evasione dell'imposta sulle imprese è del 29 per cento, mentre fanno meglio l'Iva ("solo" il 27 e mezzo per cento viene evaso), e l'Imu (il 27 per cento nel 2013, ma solo il 21 per cento nel 2012), forse perché è più difficile nascondere case e fabbricati – uno dei motivi per cui è stato un errore togliere l'Imu sulla prima casa, come vedremo.

Il rapporto Giovannini, però, non copre tutte le entrate fiscali: il calcolo di quanto viene evaso non include l'evasione sui contributi per il lavoro autonomo e su alcune tasse relativamente più piccole: resta escluso in totale un quarto delle entrate. L'evasione in Italia è quindi più alta dei 111 miliardi stimati. Di quanto? Ho fatto qualche calcolo basato su ipotesi che penso siano realistiche. Per esempio, ho ipotizzato che il grado di evasione dei contributi sociali dei lavoratori autonomi sia uguale a quello dell'Irpef degli autonomi. Ho invece ipotizzato che il grado di evasione delle ritenute sugli interessi, versati dalle banche, sia zero, e così via. Così facendo, sono arrivato a una stima dell'evasione totale di almeno 130 miliardi, ossia il

16 per cento delle tasse che si sarebbero dovute pagare e l'8 per cento del Pil del 2014.[5] Per capire quanto sia rilevante questa cifra rispetto alla necessità di far quadrare i conti pubblici occorre considerare che nel 2014 lo squilibrio tra entrate e spese pubbliche è stato di circa il 3 per cento del Pil. Quindi, se ipoteticamente tutte le tasse fossero state pagate, ci sarebbe stato un surplus del 5 per cento del Pil. Questo è un calcolo meccanico (non si può per esempio pensare che il Pil resti immutato se la pressione fiscale aumenta di oltre otto punti percentuali), ma dà l'idea di quanto anche una piccola riduzione dell'evasione potrebbe essere importante per far quadrare i conti (il nostro bilancio pubblico non è mai stato in pareggio dal 1876...). Se dal 1980 l'evasione fosse stata di solo un punto percentuale di Pil più bassa, il nostro debito pubblico, tenendo conto del risparmio di interessi, sarebbe ora del 70-75 per cento del Pil, invece che di oltre il 130 per cento. Che sarebbe poi successo se le entrate derivanti dall'eliminazione dell'evasione fiscale fossero state destinate a tagliare le tasse di chi le paga, attraverso una riduzione delle aliquote fiscali? Di quanto si sarebbero potute ridurre le tasse? Con qualche approssimazione, si può calcolare che le aliquote di tassazione degli "onesti" si sarebbero potute ridurre di quasi il 20 per cento. Sarebbe un'Italia diversa.

Ora, non esaltatevi troppo. Non è poi così facile ridurre l'evasione. In ogni caso, è del tutto irrealistico pensare di ridurre l'evasione a zero. Si evade anche all'estero, dappertutto. Si potrebbe però almeno cercare di ridurre l'evasione a livello di quella degli altri paesi. Da noi si evade invece molto di più.

Evadiamo più degli altri

Il confronto più affidabile per l'evasione tra paesi è quello elaborato per l'Iva dall'Unione Europea, che da anni segue una metodologia standardizzata. Questo confronto ci dice che, nel 2014, l'evasione dell'Iva in Italia era del

28 per cento (fra l'altro sostanzialmente uguale alla stima del rapporto Giovannini), mentre nella media dei paesi dell'area euro era del 12,6 per cento, quindi meno della metà.[6] Peggio di noi, tra i paesi avanzati dell'area euro, fanno solo Malta e Grecia.

Indicazioni simili in termini di quanto si evada in Italia rispetto agli altri paesi si ritrovano anche in uno studio di Richard Murphy, un esperto di tassazione internazionale.[7] Murphy stima che in Italia l'evasione sia stata di 180 miliardi nel 2009 (l'11,5 per cento del Pil), quindi più di quanto ho stimato sopra partendo dal rapporto Giovannini. La metodologia di Murphy è un po' troppo semplificata e potrebbe esagerare il grado di evasione. Ma questo dovrebbe essere vero per tutti i paesi e non dovrebbe quindi alterare la "classifica" relativa. Secondo Murphy in Italia si evade il 21 per cento di quello che sarebbe dovuto. La media per il resto dell'area euro (esclusi i paesi dell'ex blocco comunista) è del 14 e mezzo per cento e, di nuovo, peggio di noi fanno solo Malta e Grecia. La differenza è meno marcata rispetto all'evasione dell'Iva perché il totale comprende anche tasse – come quelle per i lavoratori dipendenti – che è difficile evadere persino in Italia, ma è comunque elevata.

Insomma, se riuscissimo a ridurre l'evasione, non dico al livello dei migliori in Europa, ma almeno alla media europea, staremmo parecchio meglio. Se fate un po' di calcoli, partendo dalle stime di Murphy, vedrete che l'evasione nel 2014 sarebbe scesa da 130 a 75 miliardi, con un recupero di 55 miliardi, il 3,4 per cento del Pil, risorse che potrebbero essere utilizzate o per ridurre il deficit pubblico (portando il bilancio almeno in pareggio), o per ridurre le tasse, per chi ora le paga, dell'8 per cento.

Non tutti evadono nello stesso modo

Abbiamo già visto, e lo sanno tutti, che esiste una grossa differenza nel grado di evasione tra lavoratori dipendenti (sottoposti a ritenuta alla fonte) e lavoratori autonomi (che non hanno ritenuta alla fonte). Non è però questa l'unica differenza tra contribuenti. Guardare alle differenze tra chi evade e chi non evade è anche utile per capire qualcosa sulle cause dell'evasione e su come si può combatterla.

Vediamo prima di tutto le differenze territoriali. Si evade di più al Nord, al Centro, o al Sud? I dati non sono recentissimi, ma abbiamo visto che le cose cambiano lentamente quando si tratta di evasione e quelli disponibili ci dicono che per l'Iva e l'Irap l'evasione è più alta al Sud che al Centro e al Nord. Per esempio, la propensione all'evasione dell'Iva è del 40 per cento al Sud, mentre è intorno al 24-25 per cento nel resto dell'Italia. Per l'Irap, è a quasi il 30 per cento al Sud, mentre è al 18-21 per cento per Centro e Nord-Est, e solo al 13 per cento nel Nord-Ovest.[8] Ora, si potrebbe concludere che queste differenze riflettono la maggiore propensione a non seguire le regole nel Sud, rispetto al Nord. Probabilmente è così, ma può influire anche un'altra componente e cioè la minore dimensione delle imprese al Sud. Uno studio di Confindustria di fine 2015 ci dice infatti che il sommerso e l'evasione vanno "a braccetto con la piccola dimensione". Questo perché le piccole imprese "sono caratterizzate da un minor numero di controlli amministrativi interni, una maggiore possibilità di comportamenti collusivi con i dipendenti, i fornitori e i clienti e una più elevata numerosità che riduce la probabilità di finire nelle maglie dei controlli".[9]

Per lo stesso motivo, evadono di più le imprese che operano in certi settori, come commercio, alloggio e ristorazione, costruzioni e agricoltura, mentre le imprese manifatturiere, soprattutto se esportatrici, evadono molto di meno.

Andiamo a vedere chi evade l'Irpef. Qui abbiamo già visto che l'evasione è molto bassa per lavoratori dipendenti (e, a maggior ragione, per i pensionati), mentre i lavoratori autonomi evadono molto di più (intorno al 68 per cento nel 2014). Vuol dire che i lavoratori autonomi sono più disonesti? Quel che è certo è che *possono* evadere mentre i lavoratori dipendenti non possono farlo essendo sottoposti a ritenuta alla fonte. La differenziazione tra lavoro dipendente e lavoro autonomo si è infatti accentuata con la riforma del 1974 che estese a tutti i lavoratori dipendenti l'uso di ritenute alla fonte: da quell'anno al 1983 il peso delle tasse pagate dal lavoro dipendente è aumentato da meno del 20 per cento del totale delle entrate tributarie a oltre il 25 per cento, mentre il peso delle tasse pagate dal lavoro autonomo è aumentato nello stesso periodo solo dall'1,3 al 2 per cento.[10] È così anche all'estero. Negli Stati Uniti l'evasione sul reddito da lavoro dipendente è praticamente nulla, mentre per i redditi da lavoro autonomo è di circa il 60 per cento, non molto più bassa di quella italiana. Tutto ciò fa sorgere il sospetto che da noi si evada di più anche perché siamo un paese di piccole imprese e con un elevato numero di lavoratori autonomi, per i quali è più facile evadere, un punto su cui torneremo nei paragrafi seguenti.

Stiamo vincendo la lotta all'evasione?

Allora, in Italia si evade più che negli altri paesi e alcuni italiani evadono più degli altri, un quadro non troppo incoraggiante. Ma stiamo almeno andando nella direzione giusta nella lotta all'evasione? Per capirlo, occorre andare a vedere se l'evasione si sta riducendo rispetto al passato.

Qui le cose si fanno un po' complicate, perché bisogna guardare all'andamento dell'evasione nel tempo utilizzando metodologie omogenee. Concentriamoci sull'evasione dell'Iva, per cui esistono delle stime relativamente omogenee che partono addirittura dagli anni ottanta.[11] Qui ci sono buone e cattive notizie. Partiamo dalle buone notizie: il grado di evasione dell'Iva (Iva evasa in percentuale dell'Iva che avrebbe dovuto essere pagata) che oscillava tra il 35 e il 40 per cento negli anni ottanta e novanta, e intorno al 35 per cento nel periodo 2001-2006, è calato poi gradualmente tra il 2006 e il 2009, raggiungendo un minimo del 26,3 per cento nel 2010. Quindi, seppur lentamente e pur restando alta, l'evasione dell'Iva nei tre decenni precedenti il 2010 si è ridotta. Ora le cattive notizie: il grado di evasione è tornato intorno al 27-28 per cento dopo il 2010 (era stimato al 27,6 per cento nel 2014, per esempio). Anche ammettendo che il 2010 sia stato un anno particolarmente fortunato, non c'è stato alcun progresso tra il 2009 e il 2014.

La mancata riduzione dell'evasione negli ultimi anni è deludente. Qui però occorre tener presente che l'evasione è influenzata dall'andamento dell'economia: si tende a evadere di più quando l'economia non va bene, almeno come reazione immediata. Se un'impresa va in crisi, non riesce a pagare le tasse dovute. E l'economia italiana non è certo andata bene negli ultimi anni: il Pil reale (quanto si produce in un anno in Italia) si è ridotto dell'8 per cento tra il 2008 e il 2014 e tante imprese sono fallite.

Quanto sono importanti gli effetti del ciclo economico sull'evasione? Partendo da stime fatte dal Fondo monetario internazionale sulla relazione tra evasione e andamento del Pil, ho stimato un effetto nella media del periodo 2009-2014 di circa un punto percentuale.[12] Quindi, senza la recessione, il grado di evasione dell'Iva sarebbe stato, negli ultimi anni, non del 27-28 per cento ma un po' più basso, del 26-27 per cento, un miglioramento non fondamentale ma neanche irrilevante. L'impressione che io ho, però, è che l'impatto del ciclo economico sull'evasione sia stato più forte.

In effetti, i dati ancora preliminari relativi al 2015 inclusi nel rapporto Giovannini indicano una riduzione dell'evasione sull'Iva di oltre un punto percentuale (dal 27,6 al 26,4 per cento, un livello simile a quello del 2010), come riflesso non solo della ripresa economica ma anche di alcune misure specificatamente introdotte e descritte nel seguito. Il rapporto Giovannini indica un miglioramento non solo per l'Iva, ma anche per le altre tasse seppure per il totale la riduzione del grado di evasione sarebbe stata limitata a mezzo punto percentuale. Questo fa sperare che con il consolidarsi della ripresa economica nel 2016 e 2017 il grado di evasione dell'Iva possa essersi ulteriormente ridotto.

Guardiamo ora a quello che l'Agenzia delle entrate ed Equitalia sono riuscite a recuperare di quanto viene evaso attraverso l'attività di controllo e riscossione. Queste attività hanno dato risultati molto limitati fino a una decina d'anni fa. Nel 2006 si riuscì a recuperare poco più di 4 miliardi di quanto era stato evaso in anni precedenti, ossia lo 0,3 per cento del Pil. Quanto recuperato è aumentato rapidamente negli anni seguenti raggiungendo nel 2011 quasi 13 miliardi (lo 0,8 per cento del Pil). Si è però poi rimasti, in termini di Pil, sempre su queste cifre (0,8-0,9 per cento di Pil) negli anni successivi, tranne che nel 2016 quando il recupero è arrivato a una cifra record di 19 miliardi, ossia l'1,1 per cento del Pil. Questo ultimo dato include, tuttavia, anche le entrate dalla cosiddetta *"voluntary disclosure"*, un pagamento volontario e *una tantum* di quanto evaso precedentemente (vedremo poi se si può chiamarlo condono o meno). Al netto di queste entrate *una tantum*, il recupero dell'evasione è stato di circa 15 miliardi, ossia lo 0,9 per cento del Pil, più o meno il livello già raggiunto nel 2011. In conclusione, il recupero dell'evasione si è molto rafforzato in termini di risultati fino al 2011, poi ci si è attestati sugli stessi livelli rispetto al Pil. Anche qui, però, può aver pesato l'avversa congiuntura economica: diventa più difficile recuperare l'evasione se i contribuenti sono in crisi. Ciò detto, un recupero di 15 miliardi su 130 (l'11 e mezzo per cento) è comparabile con quello degli Stati Uniti (l'11 per cento).

Facciamo il punto della situazione:

• L'evasione in Italia è alta rispetto al Pil (8 per cento nel 2014 anche se, probabilmente, un po' meno nel 2015) e rispetto alle entrate che ci sarebbero senza l'evasione (16 per cento nel 2014); se le tasse le pagassero tutti, il bilancio dello stato sarebbe in forte surplus; oppure le tasse, per chi le paga, potrebbero essere di quasi il 20 per cento più basse.

• Negli ultimi trentacinque anni la lotta all'evasione ha portato a qualche risultato, in termini di riduzione dell'evasione e di recupero di quanto viene evaso. Ma siamo ancora lontani dalla media europea. Evadiamo più degli altri paesi: siamo al terzo posto dopo Malta e Grecia tra i paesi avanzati dell'area euro; in termini di Iva evadiamo più del doppio della media degli altri paesi dell'area euro.

• Il progresso nella lotta all'evasione si è interrotto negli ultimi anni, forse però più per effetto della crisi economica che di mancanza di volontà. A voler essere ottimisti, si può dire che aver evitato un aumento dell'evasione in un periodo di forte recessione dell'economia è stato già un discreto risultato.

• Stime preliminari indicano che l'evasione si è ridotta un po' nel 2015 e, con il consolidarsi della ripresa, le cose potrebbero essere andate meglio anche nel 2016, sebbene stime per quest'ultimo anno non siano ancora disponibili. Restiamo comunque sempre indietro rispetto agli altri paesi europei, dove pure il grado di evasione si è ridotto. Secondo recenti stime della Commissione europea, nonostante il miglioramento, nel 2015 l'Italia è ancora al quinto posto in termini di evasione dell'Iva, superata solo da Lettonia, Grecia, Slovacchia e Romania.[13]

Perché l'evasione fa male all'economia

L'evasione fiscale ha serie conseguenze economiche. Alcune di queste sono ovvie e vi ho già accennato. Se si evadesse di meno i conti pubblici starebbero molto meglio e si potrebbero ridurre le aliquote di tassazione, il deficit e il debito pubblico.

Un debito pubblico più basso porta anche a maggiore crescita. Ma c'è pure un effetto diretto dell'evasione sulla crescita ed è fondamentale, sebbene talvolta poco apprezzato. L'evasione distorce la concorrenza e premia al di là dei propri meriti chi evade. In una economia di mercato è essenziale che le risorse si indirizzino verso i settori più efficienti, non verso quelli che evadono di più. L'evasione, quindi, è una forma di concorrenza sleale che danneggia l'efficienza economica e la crescita, la capacità di innovare e anche la capacità di esportare. Lo studio di Confindustria già citato in precedenza sottolinea proprio questo: l'evasione favorisce chi non esporta e chi resta "piccolo", il che implicitamente crea un forte incentivo a rimanere piccoli. Lo studio di Confindustria conclude che, se si dimezzasse l'evasione, il Pil aumenterebbe del 3,1 per cento e l'occupazione aumenterebbe di 335.000 unità. Secondo me, si tratta di una forte sottostima, perché basata unicamente sull'effetto di breve periodo che una riduzione delle tasse su chi già le paga avrebbe sulla domanda. I principali effetti di una minore evasione sul Pil deriverebbero invece da una maggiore concorrenza ed efficienza e, quindi, da un tasso di crescita più elevato nell'offerta di prodotti nel lungo periodo.

Un altro elemento porta a concludere che, se si evadesse meno, la crescita economica sarebbe più elevata: gli strumenti che devono essere usati contro l'evasione rendono l'attività d'impresa molto più difficile per tutti. Come riporta la già citata audizione della Banca d'Italia in Senato: "Secondo una recente indagine, il fisco gioca un ruolo decisamente negativo nell'opinione dei 33 top manager delle multinazionali Usa presenti in Italia: per 29 di essi l'incidenza e l'efficienza del regime fiscale contribuiscono a peggiorare l'immagine del nostro paese". Questo comporta che una riduzione dell'evasione fa tanto meglio all'economia quanto più non è basata su controlli asfissianti che rendono la vita impossibile a chi gestisce un'impresa; ma su questo torneremo poi.

Un ultimo punto riguarda non l'efficienza ma l'uguaglianza dei cittadini rispetto alla legge. Abbiamo visto che non tutti evadono o possono evadere. Quindi non tutti sono trattati in modo uguale di fronte alla legge, il che è molto fastidioso per chi ama una società basata sulla legge e sulle regole. Fra l'altro, l'evasione contribuisce a una distribuzione del reddito più ineguale, come dimostrato anche da studi condotti dallo staff dell'Agenzia delle entrate.[14]

Perché in Italia si evade (più che all'estero)?

Di fronte a questa domanda, prima di tutto sgombriamo il campo da due risposte semplicistiche. Primo, si evade perché si può evadere: ovvio, se non si potesse evadere nessuno lo farebbe – infatti chi è sottoposto a ritenuta alla fonte paga le tasse. La questione è piuttosto perché in Italia lo si possa fare più che in altri paesi. Secondo, si evade perché si deve, cioè per sopravvivere. Anche questo è, in parte, ovvio: ci sono imprese che riescono a sopravvivere solo perché evadono, e queste sono forse aumentate con la difficile congiuntura che abbiamo attraversato negli ultimi anni. Ma evadevamo più degli altri anche prima della crisi economica. Se guardiamo alle motivazioni di più lungo periodo, emergono quattro cause della nostra maggiore evasione.

La prima è che la nostra struttura economica ci rende più esposti al rischio di evasione, per tre motivi:

• Primo, siamo un paese di lavoratori autonomi e, come abbiamo visto, per questi ultimi è più facile evadere, anche all'estero. In Italia, i lavoratori autonomi sono quasi un quarto del totale. In Europa, solo la Grecia ne ha di più (e sapete quanto si evada in Grecia). Nella media dell'eurozona i lavoratori autonomi sono il 15 per cento del totale, in Germania e in Francia il 10 per cento. L'effetto di questa differenza è elevato: l'evasione dell'Irpef per il lavoro autonomo e impresa è stata stimata dal rapporto Giovannini in quasi 32 miliardi nel 2014. Visto che alla stessa data c'erano circa 5 milioni e mezzo di lavoratori autonomi in Italia, l'evasione per lavoratore autonomo è di circa 5800 euro a testa. Se il numero di lavoratori autonomi fosse, in percentuale del totale, uguale a quello della Germania e della Francia, ci sarebbero circa 3.271.000 lavoratori autonomi in meno, e l'evasione si ridurrebbe di 19 miliardi. Se si aggiunge la stima da me fatta sull'evasione di contributi da parte degli autonomi, la cifra salirebbe ad almeno 30 miliardi. Quindi, dei 130 miliardi di evasione, quasi un quarto sarebbe dovuto semplicemente all'anormalità del numero di lavoratori autonomi rispetto a paesi come Francia e Germania.

• Secondo, siamo un paese di piccole imprese, che come abbiamo visto tendono a evadere di più. Il prodotto delle imprese con meno di dieci dipendenti è di circa il 30 per cento in Italia, il doppio di quello della Germania. Fra l'altro, il peso delle grandi imprese nel tempo si è ridotto, accentuando questo problema.

• Terzo, siamo un paese in cui l'uso del contante è più diffuso che all'estero. Secondo la Banca d'Italia "l'83 per cento delle transazioni complessive è eseguito in contante a fronte di una media europea del 65 per cento".[15] Qui c'è il rischio di scambiare la causa con l'effetto (si usa il contante proprio per sfuggire ai controlli).[16] Ma forse l'elevato uso del contante riflette anche abitudini ataviche e mancanza di fiducia nei nuovi strumenti di pagamento (ci si può fidare di dare il numero della propria carta di credito a qualcun altro?). Fatto sta che in Italia il contante è ancora molto più utilizzato che in altri paesi, il che riduce la tracciabilità delle transazioni.

La seconda causa della nostra maggiore propensione a evadere è che la struttura della nostra politica fiscale incentiva, o comunque facilita l'evasione. Questo per almeno tre motivi:

• Il primo è quello più spesso ripetuto: si evade perché le tasse sono troppo alte. Ricorderete quello che disse Berlusconi in un incontro con l'Associazione nazionale dei costruttori edili nel 2008: "C'è una norma di diritto naturale che dice che se c'è uno Stato che chiede un terzo di quanto guadagni allora la tassazione ti appare una cosa giusta. Ma se ti chiede il 50-60% di ciò che guadagni, come accade per le imprese, ti sembra una cosa indebita e ti senti anche un po' giustificato a mettere in atto procedure di elusione e a volte anche di evasione".[17] L'affermazione suscitò molte polemiche ed era in effetti un po' inappropriata per un presidente del Consiglio in carica. Ma i teorici della tassazione ci dicono proprio questo, cioè che la propensione a evadere dipende da due fattori: quanto si guadagna evadendo (che dipende dal livello di tassazione) e quanto si rischia di perdere se l'evasione viene scoperta (che dipende dalla probabilità di essere scoperti e dalla conseguente penalità). Quanto è importante in pratica l'elevata tassazione nel determinare la maggiore propensione a evadere in Italia? Il già citato rapporto di Confindustria fa notare che nei paesi europei si evade di più proprio dove le aliquote sono più alte. Tuttavia, studi condotti con tecniche più sofisticate dal Fondo monetario internazionale non trovano invece una chiara evidenza di un effetto delle aliquote sull'evasione, per lo meno per l'Iva.

• Il secondo motivo riguarda la composizione delle entrate. Secondo alcuni – per esempio Innocenzo Cipolletta nel suo libro *"In Italia paghiamo troppe tasse". Falso!* (Laterza, 2014) – l'errore è di tassare troppo i redditi e troppo poco i consumi. Secondo me, questo non è un fattore molto rilevante: abbiamo visto che l'evasione dell'Iva, una tassa sui consumi, è molto elevata (27-28 per cento). È vero che l'evasione sul reddito del lavoro autonomo è molto più alta (68 per cento), ma quella sul lavoro dipendente è quasi zero e non sarebbe possibile detassare il lavoro autonomo e non quello dipendente, per ovvi motivi. L'errore, in termini di cosa si tassa, è semmai un altro: occorre tassare di più le case (e meno i redditi legati ad attività produttive) perché è più difficile evadere le tasse sulla casa: come abbiamo visto, il grado di evasione dell'Imu è relativamente basso. È stato quindi un errore detassare la prima casa.

• Il terzo motivo è il costo eccessivo, in termini di adempimenti burocratici, del pagare le tasse: se per pagare una tassa devo girare per tre o quattro uffici, forse preferirò evadere. Chi è proprietario di appartamenti in affitto, per esempio, sa che non è affatto semplice pagare la tassa sul relativo reddito.

La terza causa della maggiore evasione è la debolezza nel nostro apparato repressivo. Qui i temi principali sono due:

• Il primo riguarda un insieme di debolezze strutturali nella gestione dei controlli sui contribuenti. C'è la storica questione del rapporto tra Guardia di finanza e Agenzia delle entrate, che è anomalo rispetto alla maggior parte degli altri paesi, dove la polizia interviene quando si riscontra un reato tributario ma le "indagini" le conduce l'amministrazione fiscale. Da noi (e, guarda un po', in Grecia) c'è una sovrapposizione di compiti tra Agenzia e Gdf, nonostante gli sforzi volti al coordinamento.[18] C'è la questione dell'incrocio, ancora incompleto, tra banche dati. C'è quella della strategia per decidere chi deve ricevere una visita da parte degli ispettori fiscali (la scelta ora è troppo decentrata, col rischio di scarsa sistematicità nei controlli e di una maggiore corruzione). In generale, il rischio di subire un controllo è basso (per le piccole imprese il rischio è di subire un controllo ogni trentatré anni, secondo il citato rapporto di Confindustria; p. 93).

• Il secondo riguarda le scarse penalità, o addirittura i vantaggi, che si hanno evadendo. Le penalità pecuniarie per chi non paga erano piuttosto alte, ma sono state ridotte a fine 2016. Pochi finiscono in prigione per evasione.[19] Inoltre, i poteri di riscossione della bistrattata Equitalia non erano poi così forti: il Fondo monetario internazionale (traduco il rapporto già citato, paragrafo 109) riteneva "che i vincoli legali all'appropriazione di redditi e attività [degli evasori] impediscono il recupero di 39 miliardi di euro di tasse non pagate; questi vincoli dovrebbero essere rivisti". Si è invece deciso di rottamare Equitalia e le relative cartelle. Inevitabile a questo punto parlare anche del ruolo che i condoni hanno avuto nell'incentivare l'evasione. I condoni premiano chi ha evaso il fisco perché fanno pagare meno di quello che sarebbe stato dovuto se le tasse fossero state pagate puntualmente e, quindi, incentivano l'evasione. Ne abbiamo avuti troppi, di condoni, in passato, un problema che condividiamo con la Grecia.[20] L'ultimo condono così chiamato risale al 2009. Ora c'è però la *voluntary disclosure*, la cui natura (è un condono o no?) verrà discussa nel paragrafo seguente.

La quarta causa della maggiore evasione è la nostra scarsità di senso civico o capitale sociale, che dir si voglia. Qui ci addentriamo nel più generale tema di questo libro, in quanto la mancanza di capitale sociale è causa anche di altri nostri peccati capitali, come la corruzione, l'eccesso di burocrazia e, in parte, il divario fra Nord e Sud.[21] Il termine "capitale sociale" si riferisce alla capacità di incorporare nelle proprie decisioni ("internalizzare" è il termine tecnico usato dagli economisti) le conseguenze che le proprie azioni hanno sugli altri. Se si "internalizza" si nota che quello che ci può sembrare un comportamento per noi vantaggioso, alla fine finirebbe per danneggiare tutti (e, quindi, anche noi), se tutti si comportassero nello stesso modo. Per esempio, se io evado le tasse ci guadagno, ma se tutti seguono il mio esempio e tutti evadono, allora stiamo male tutti perché non ci sono più soldi per pagare i servizi pubblici. In altri termini, quando il capitale sociale è basso, prevalgono quei comportamenti che spesso biasimiamo negli altri ma che siamo portati a seguire individualmente. Il rispeto delle regole (quelle formali e, direi anche, quelle del vivere civile) è, in generale, più basso quando il capitale sociale è scarso. Ora, diversi studi indicano che in Italia il capitale sociale è relativamente scarso. Per misurarlo, ci si basa spesso sui risultati di sondaggi d'opinione riguardo a certi "valori" (per esempio, la fiducia negli altri, il rispetto degli altri e così via), risultati poi riassunti in certi indici di capitale sociale e culturale. In questi indici, l'Italia non figura molto bene, rispetto agli altri paesi avanzati, collocandosi solitamente al di sotto della media.[22] Personalmente, credo che lo scarso capitale sociale in Italia sia una delle principali cause della nostra propensione a evadere le tasse.

Cosa si è fatto per contrastare l'evasione

Non vi annoierò con la cronistoria delle misure che nel corso degli anni sono state adottate per combattere l'evasione (spesometri, redditometri, ecc.), con risultati che, abbiamo visto, sono purtroppo ancora piuttosto parziali. Mi concentrerò invece su quanto è stato fatto negli ultimi anni. Non tutto è da buttare, ma non tutto è buono.

Di buono ci sono state in primis le misure volte direttamente ad aumentare il gettito dell'Iva e del canone Rai. Non entrerò nei dettagli dell'Iva perché sono più tecnici (anche qui si sono usati termini in inglese quali *reverse charge* e *split payment*), ma queste misure sull'Iva dovrebbero aver consentito di recuperare un paio di miliardi.[23] Del canone Rai già lo sapete: vi è stato messo nella bolletta elettrica dal 2016. Avevo proposto io stesso questa misura, nel 2014. Mi occupavo di spesa all'epoca, ma, coprendo anche la Rai, la misura mi venne suggerita dall'allora direttore generale Luigi Gubitosi, che a sua volta si era ispirato a quello che si fa in Germania. Non so perché nel 2014 non mi diedero retta, ma la misura è stata introdotta per il 2016: il numero di famiglie che pagano il canone è aumentato del 40 per cento, con un recupero di evasione di 724 milioni (un centinaio dei quali sono stati usati per ridurre il canone; la metà del restante è andato però alla Rai per sostenere le proprie spese, ma, per far contenti tutti, si sono dati anche 50 milioni alle tv locali e 50 all'editoria; non erano certo queste le mie raccomandazioni su come usare il recupero dell'evasione sul canone).

Poi sono state introdotte misure che, anche se non proprio nell'immediato, dovrebbero portare a qualche risultato positivo. Una importante fra queste, raccomandata peraltro dal citato rapporto del Fondo monetario internazionale, è stata quella di richiedere all'Agenzia delle entrate di fornire i dati dell'Iva ogni tre mesi, invece che una volta all'anno, il che dovrebbe consentire un miglior monitoraggio. Il problema è che questo aumenta il carico amministrativo delle imprese, e non si è fatto molto invece per semplificare e ridurre altri oneri, cosa che rimane prioritaria (vedi cap. 3).[24] Un altro provvedimento è il cosiddetto "adempimento collaborativo" (il termine usato nei documenti ufficiali è spesso in inglese, "*cooperative compliance*"), insomma spedire lettere ai contribuenti dicendo "le nostre informazioni ci riferiscono questo di te; sei sicuro di aver pagato tutto quello che dovevi?". Qualcosa è entrato, anche se non tantissimo (circa 500 milioni nel 2015). Comunque, anche questo va bene. Come sono andati bene gli accordi sul maggiore scambio di informazioni di natura fiscale tra paesi, accordi internazionali di cui l'Italia è parte.

Al tempo stesso, sono state prese iniziative per lo meno molto discutibili: l'innalzamento del tetto per l'uso del contante, la *voluntary disclosure* (anche qui il termine ufficiale è in inglese, seppur talvolta tradotto come "collaborazione volontaria") e la rottamazione delle cartelle Equitalia.

L'innalzamento del tetto sul contante è stata la cosa peggiore. Abbiamo visto quanto sia importante la tracciabilità dei pagamenti e quanto poco gli strumenti di pagamento diversi dal contante siano diffusi in Italia. Che senso ha aumentare il tetto da 1000 a 3000 euro? Si potrà dire che in Germania non ci sono tetti, ma lì le tasse le pagano lo stesso. Nei paesi "latini" i tetti ci sono e sono più bassi che in Italia (1000 euro in Portogallo e Francia, per esempio). Anche dal punto di vista comunicativo, non mi è sembrato il modo migliore per trasmettere un messaggio antievasione.

La stessa domanda va posta per la *voluntary disclosure*, la possibilità di regolarizzare la propria posizione fiscale relativa alle somme detenute all'estero. Si è introdotta questa misura per il 2015, la si è ripetuta per il 2016 e di nuovo per il 2017. Lo si può considerare un condono? Qui bisogna chiarire. In tutti i paesi, o come possibilità *una tantum* o anche come caratteristica permanente del sistema fiscale, c'è la possibilità di regolarizzare la propria posizione per chi in passato non ha pagato. È una questione di buon senso: se ci si pente, si può sempre rimediare. L'Organizzazione per la cooperazione e lo sviluppo economico ha anche emanato nel 2010 delle "linee guida" su queste operazioni.[25] Tutto normale dunque? Non proprio. Il punto fondamentale è quanto convenga evadere prima e pentirsi poi. Se per indurre gli evasori a "pentirsi" si fa loro un grosso sconto su quanto è dovuto (quello che è dovuto è l'importo evaso inizialmente, più gli interessi per il pagamento ritardato, più una penalità proprio per non rendere conveniente il non pagare), allora si incentiva l'evasione. Quelli che chiamiamo "condoni" sono operazioni in cui lo sconto offerto agli evasori è elevato. La questione è, quindi, quanto sia stata conveniente la *voluntary disclosure* rispetto a quanto si fa all'estero per operazioni di ravvedimento, e rispetto a quello che si è fatto in Italia in passato. Rispetto all'estero, le esperienze sono varie (e le trovate descritte nel rapporto dell'Organizzazione per la cooperazione e lo sviluppo economico sopra citato). Negli Stati Uniti e nel Regno Unito, per esempio, si devono comunque pagare le tasse e gli interessi dovuti e, in parte, anche le penalità, ma si è esenti dalle sanzioni penali. Nel caso italiano le tasse si devono pagare ma ci sono sconti su interessi e sanzioni. Ma, alla fine, quanto è costato agli evasori dichiarare le somme evase? I dati sono disponibili per la *voluntary disclosure* del 2015-2016, per la quale il rapporto tra somme versate al fisco e capitali emersi è stato del 6,5 per cento. Il calcolo è contenuto in un lavoro dei professori Giampaolo Arachi, Stefano Pisani e Alessandro Santoro (pubblicato in *La finanza pubblica italiana – Rapporto 2016*, il Mulino, p. 51) i quali notano come questo rapporto sia abbastanza vicino a quello dei condoni fiscali del 2003 e del 2009 (il 5 per cento). Bisogna riconoscere che, rispetto a quei condoni, c'è una differenza importante: quelli consentivano di mantenere l'anonimato rispetto al fisco (le operazioni di emersione venivano intermediate da banche), il che eliminava uno dei pochi vantaggi dei condoni per il fisco, quello di rendere chiaro chi ha evaso. Ma, in termini di convenienza, la *voluntary disclosure* non si è poi molto discostata dai condoni. Insomma, a me non è sembrata una buona idea. Un po' di soldi sono entrati ma è stato come raschiare il fondo del barile. Non è recuperando qualche miliardo in questo modo che si risolvono i problemi dei conti pubblici italiani. Si tratta al meglio di entrate *una tantum* e non di un aggiustamento strutturale.

Stesso discorso per la rottamazione delle cartelle Equitalia, rinnovata anche per il 2018. Qui si fa uno sconto per convincere a pagare chi si sa per certo che non ha pagato. L'idea non è nuova. L'imperatore Traiano, per ingraziarsi le popolazioni delle province romane, fece bruciare nel Foro i registri delle tasse non pagate (fu il primo, altri lo seguirono). Nella versione della Roma del XXI secolo, almeno si chiede il pagamento di una parte di quanto dovuto, per raccattare un po' di soldi. Il problema è che anche qui si avvantaggia chi non ha pagato le tasse regolarmente. Alla fine si è deciso di rottamare pure Equitalia. Ovviamente resterà qualcuno con il compito di raccogliere le tasse che devono essere pagate e lo farà direttamente l'Agenzia delle entrate. Ma, in occasione della rottamazione di Equitalia, si sono ridotte le penalità per i mancati pagamenti. Non mi è sembrato, di nuovo, un bel segnale, da un punto di vista, diciamo, comunicativo.

Cosa si può fare?

Ho una grande stima di chi è impegnato nella lotta all'evasione, a tutti i livelli, nel ministero dell'Economia, nell'Agenzia delle entrate, nella Guardia di finanza. Ma è chiaro che occorre fare di più. Sarà stato per colpa della recessione, ma negli ultimi anni le stime disponibili suggeriscono che la propensione all'evasione non si è ridotta (a parte il possibile recupero nel 2015, se confermato), e che resta molto più elevata che all'estero. Non facciamoci illusioni. Ci sono importanti motivi oggettivi per cui siamo più esposti al rischio di evasione, soprattutto per il numero più elevato di lavoratori autonomi e di piccole imprese, come abbiamo detto. Dobbiamo quindi fare meglio.

Per prima cosa, dobbiamo abbandonare le misure estemporanee, spesso introdotte all'ultimo momento, prima della legge di bilancio, per racimolare un po' di soldi, magari creando problemi nel lungo periodo, come nel caso di condoni e affini. Nelle parole di Mauro Meazza (apparse a p. 3 del "Sole 24 Ore" il 16 ottobre 2017, nell'articolo *Il lato diabolico delle sanatorie*), "l'immagine che se ne ricava [dall'accavallarsi di ripetute operazioni di *voluntary disclosure* e rottamazione] è quella di un disordinato accavallarsi di termini, impegni e opzioni che potranno anche giovare ai conti pubblici e disinnescare le clausole di salvaguardia, ma di certo non aiutano né la credibilità né l'intellegibilità del sistema". Anche misure di per sé valide, come lo *split pay-*

ment, devono essere inquadrate in un disegno strategico. Occorre essere chiarissimi su questo: quel che serve è una strategia di medio periodo ben definita da comunicare a famiglie e imprese, basata su diversi strumenti che operino tutti nella stessa direzione. E occorre agire in tutte le aree che abbiamo identificato come cause dell'evasione nelle pagine precedenti.

La struttura economica del paese è difficile da cambiare, ma ci si può provare. La strada più praticabile è l'aumento degli strumenti di pagamento diversi dal contante per aumentare la tracciabilità delle transazioni. Altri paesi ci sono riusciti. In Uruguay, per esempio, l'uso delle carte di credito è stato incentivato consentendo alle persone a reddito basso di ricevere un rimborso dell'Iva se pagano con carta di credito (questo nel contesto di un'eliminazione dei tassi agevolati per l'Iva che, fra l'altro, ha consentito anche un aumento delle entrate senza penalizzare i redditi bassi). Il tetto sull'uso del contante dovrebbe essere riportato a 1000 euro. L'uso della fatturazione elettronica (introdotto negli ultimi due anni per la pubblica amministrazione) va esteso al settore privato. Più difficile è aumentare la percentuale dei lavoratori dipendenti e far crescere la dimensione media delle imprese, ma ci si può provare con adeguate riforme strutturali. Fra l'altro, un aumento nella dimensione delle imprese porterebbe anche molti altri vantaggi, consentendo per esempio di sfruttare le sinergie nelle attività di ricerca e sviluppo.

È poi necessario migliorare la struttura della tassazione e semplificare il modo in cui le tasse vengono pagate. Non sono certo il primo a dire che ci sono troppe tasse e che, in generale, la struttura della tassazione è troppo complessa, con troppe aliquote che rendono più difficili i controlli e troppi moduli da compilare. Spesso questa abbondanza di aliquote non raggiunge neppure i risultati desiderati. L'aliquota Iva sui prodotti alimentari, per esempio, è più bassa di quella normale perché non si vuole penalizzare chi ha un reddito più basso. Ma così paga meno anche chi è ricco. E siccome i ricchi spendono di più in tutto, compreso il cibo, alla fine sono loro a beneficiare di più delle aliquote agevolate. Un'aliquota unica, come anche suggerito da Vincenzo Visco nel suo recente *Colpevoli evasioni. Le tasse come questione non solo tecnica* (pubblicato da Università Bocconi Editore, 2017), eviterebbe questo problema e i meno abbienti potrebbero essere compensati con trasferimenti diretti (o magari seguendo l'esempio dell'Uruguay citato sopra). Il sistema ora è comunque troppo complicato. Non dico che occorra necessariamente introdurre una "flat tax", come alcuni suggeriscono, ma semplificare la struttura della tassazione è imperativo.

È anche importante ridurre i costi amministrativi legati al pagamento delle tasse: i moduli vanno semplificati, non solo digitalizzati. Purtroppo le cose non sembrano migliorare molto. Il 730 precompilato ha facilitato la vita a molti contribuenti, ma al prezzo di richiedere ad altri soggetti l'invio di più informazioni al fisco. Nel Financial Complexity Index del 2017 del Tmf Group, volto a misurare la complessità dei sistemi di contabilità e tassazione, figuravamo ancora al terz'ultimo posto su 94 paesi. E in una lettera inviata all'Agenzia delle entrate nel luglio 2017 da Massimo Miani, presidente del Consiglio nazionale dei dottori commercialisti, si sottolineava come il lavoro dei commercialisti stesse diventando una vera "via crucis".[26]

Non sono sicuro che, di per sé, abbassare il livello della tassazione spingerebbe chi non paga ora a pagare (è difficile cambiare le vecchie abitudini) e mi sembrerebbe troppo azzardato pensare di poter finanziare un taglio della tassazione sperando che questa porti anche a una diminuzione certa dell'evasione. Sarebbe come mettere il carro davanti ai buoi. Ma ridurre le tasse in modo credibile, cioè finanziando la riduzione con risparmi di spesa, è comunque necessario per aumentare la produttività e la competitività italiana (vedi il cap. 7). Se poi questo aiuta a ridurre l'evasione, tanto meglio. C'è però una tassa che va reintrodotta: quella sulla casa. Le tasse non piacciono a nessuno, ma alcune sono meno dannose di altre. Meglio tassare le case che, per esempio, il lavoro: dal punto di vista di questo capitolo, è più difficile evadere una tassa sulla casa, come abbiamo visto sopra.

Un ruolo fondamentale nella lotta all'evasione riguarda anche le azioni poste in essere direttamente dall'amministrazione fiscale. È chiaro che la strada maestra comporta indurre i contribuenti a non evadere, piuttosto che cercare di recuperare *ex post* quello che è stato evaso. Perché i contribuenti non evadano è necessario far loro sapere che l'amministrazione fiscale ha a disposizione i mezzi per conoscere quanto guadagnano ed è efficiente nello svolgere i propri controlli. Occorre quindi sviluppare ulteriormente l'incrocio di banche dati e utilizzare il più possibile le informazioni che derivano dai pagamenti con mezzi diversi dal contante, necessità riconosciuta anche nei documenti ufficiali.[27] Appropriatamente, la legge di bilancio per il 2018 prevede l'introduzione dell'obbligo di fatturazione elettronica anche tra i privati a partire dal 2019. Occorre anche una migliore strategia nella scelta dei controlli, più mirata e meglio coordinata dal centro e, magari, superando una volta per tutte il dualismo tra Agenzia delle entrate e Guardia di finanza. Probabilmente sarebbe anche utile spendere di più per la gestione dei controlli (l'Italia ha ridotto la spesa per la gestione delle entrate negli ultimi anni), ma credo che se si eliminassero le inefficienze e gli sprechi si potrebbero ottenere risultati migliori anche a parità di spesa.

Restano infine i fattori culturali. Qui probabilmente il percorso è lungo e riguarda il rafforzamento di quel senso civico che è troppo scarso nel nostro paese. Ma non dobbiamo sottovalutare neppure la possibilità di fare qualcosa nel breve periodo. C'è chi sostiene, come si fa nel citato rapporto di Confindustria, l'utilità dell'approccio anglosassone al *name and shame*, che consiste nel pubblicizzare l'informazione su chi evade le tasse. Inoltre, ci sono studi che mostrano come il grado di accettabilità sociale dell'evasione dipenda anche dall'efficienza dell'amministrazione fiscale: se è risaputo che chi evade la fa franca, appare moralmente meno ingiustificato evadere. E viceversa: migliorando l'amministrazione fiscale, appare anche più immorale evadere.[28] Infine, la percezione che le risorse raccolte attraverso la tassazione siano ben amministrate e non sprecate in spese inutili può anche contribuire a rafforzare nel contribuente la disponibilità a pagare le tasse: per lo meno, si toglie una scusa a chi non le vuole pagare.

Effetti indesiderati

La lotta all'evasione è fondamentale per l'economia italiana, ma non illudiamoci che non ci siano effetti collaterali spiacevoli, al di là di quelli ovvi per chi non pagava e dovrà pagare. Sono soprattutto effetti di breve periodo, ma è meglio essere preparati.

Una riduzione dell'evasione comporta in ogni caso un maggior pagamento di tasse e quindi, nell'immediato, un effetto restrittivo sull'economia. Se devo pagare più tasse avrò meno soldi per comprarmi un'auto (ancor meno per una di lusso): la domanda di beni e servizi nell'economia si potrebbe ridurre. Qui però dobbiamo ricordarci che se entrano più soldi nelle casse dello stato ci sarà spazio per tagliare le aliquote di tassazione per tutti. Si potrà obiettare che in Italia c'è anche la necessità di utilizzare le maggiori entrate dalla lotta all'evasione per diminuire il deficit e il debito pubblico, e che quindi potrebbe non essere possibile tagliare le tasse in corrispondenza di maggiori entrate dalla lotta all'evasione. Vero, ma il deficit deve essere ridotto in ogni caso e un successo nella lotta all'evasione limiterebbe la necessità di introdurre altre misure. Detto questo, io credo che il rafforzamento dei conti pubblici debba essere perseguito soprattutto contenendo la crescita della spesa pubblica, il che aprirebbe la possibilità di utilizzare tutte le entrate derivanti dalla lotta all'evasione per ridurre le aliquote di tassazione. Ma c'è una questione di tempistica: come si è detto, vista l'incertezza negli effetti della lotta all'evasione, è piuttosto rischioso tagliare le tasse prima che si siano osservati risultati concreti. Possono sorgere problemi anche sul fronte della produzione: per esempio, imprese e attività che sopravvivono solo perché non pagano le tasse. Si tratta di imprese inefficienti che, col tempo, dovrebbero essere rimpiazzate da imprese efficienti. Quindi è un bene che spariscano, ma la transizione potrebbe comunque essere difficile.

C'è infine il problema di capire su chi ricadrebbero le maggiori tasse versate allo stato. Ne ho accennato all'inizio di questo capitolo. Se il mio idraulico che non pagava le tasse ora le deve pagare, riverserà questo maggior pagamento su quanto gli devo se mi aggiusta una tubatura? Alla fine i prezzi di beni e servizi potrebbero cambiare in modo tale che le maggiori tasse ricadrebbero sui consumatori. Da cosa dipenderebbe chi paga alla fine? Fondamentalmente dal grado di concorrenza: se chi adesso non paga tasse agisce in mercati protetti, in cui c'è poca concorrenza, una riduzione dell'evasione si riverserebbe in buona parte sul prezzo dei servizi forniti. Anche per questo è necessario rendere più aperta alla concorrenza l'economia italiana: si possono compiere dei passi avanti, soprattutto nei mercati per la fornitura di servizi, dove spesso operano i lavoratori autonomi che ora pagano meno tasse.

Ricordiamoci però che, alla fine, questi problemi possono essere superati e che una riduzione dell'evasione non può che far bene all'economia italiana rendendola più efficiente e consentendo una riduzione delle aliquote di tassazione.

Qualche considerazione conclusiva

Non sarà facile ridurre l'evasione. Ma ci dobbiamo provare. Il miglioramento delle condizioni economiche dovrebbe facilitare la lotta all'evasione rispetto al periodo 2009-2013, quando il Pil si è ridotto rapidamente. Nelle pagine precedenti ho sostenuto che occorre una strategia di lotta all'evasione chiara e ampia. In via di principio, sarebbe auspicabile un accordo tra governo e opposizioni su questo tema, visto che la lotta all'evasione dovrebbe essere un obiettivo che prescinde dal proprio colore politico. Ma, visto quanto siamo litigiosi, non credo ci si possa contare.

Occorre anche essere realisti e non pensare che la lotta all'evasione, di per sé, possa essere la soluzione a tutti i nostri mali, non fosse altro perché la struttura dell'economia italiana ci rende più vulnerabili all'evasione rispetto ad altri paesi. Occorrerà infine evitare aspettative ottimistiche sulle entrate dalla lotta all'evasione in sede di preparazione del bilancio dello stato. Dire che il prossimo anno la lotta all'evasione ci darà 3, 5, 10 miliardi è facile ma non è credibile *ex ante*. Nel mio lavoro al Fondo monetario internazionale ho visto tanti paesi che, non riuscendo a tagliare la spesa pubblica per aggiustare i conti dello stato, includevano nei bilanci di previsione forti entrate dalla lotta all'evasione, restando poi regolarmente delusi. Occorre aver fiducia nella possibilità di toglierci questo vizio, ma non andiamo a vendere la pelle dell'orso prima di averlo preso.

2. Corruzione

Voi sapete che non c'è santità che il denaro non riesca a violare, non c'è fortezza che non possa espugnare.

MARCO TULLIO CICERONE

Se siete rimasti delusi dall'incertezza sulle stime dell'evasione fiscale in Italia, preparatevi al peggio. Valutare quanto l'evasione costa ai conti pubblici e, in generale, all'economia italiana è un gioco da ragazzi rispetto a valutare i costi della corruzione. Qui, come vedremo, si sparano cifre di ogni sorta, anche da parte di istituzioni ufficiali che dovrebbero essere molto più prudenti con i numeri citati. Ma il fatto che sia difficile quantificare l'estensione della corruzione e i relativi costi non deve portare a minimizzarne le conseguenze. Come vedremo, ci sono abbastanza informazioni per concludere che la corruzione in Italia è più estesa che negli altri paesi avanzati e che danneggia seriamente la nostra economia, conti pubblici compresi. Prima di entrare nel dettaglio, chiariamo però alcuni punti preliminari.

Che cos'è la corruzione

Non cercherò di darvi una definizione precisa di corruzione, né di usare termini formalmente corretti per distinguere le varie fattispecie di relazioni inappropriate tra un pubblico ufficiale e qualcuno che, in denaro o in altro modo, lo ricompensa in cambio di qualcosa che il pubblico ufficiale dovrebbe o non dovrebbe fare (corruzione, concussione, induzione indebita a dare o promettere, ecc.). "*I know it, when I see it*" (la riconosco quando la vedo) disse un giudice della Corte Suprema americana riferendosi al fatto che tutti capivano cosa fosse la pornografia anche senza bisogno di definirla formalmente. Allo stesso modo, credo che ognuno di noi sappia di cosa stiamo parlando quando parliamo di corruzione.[1]

Esiste la potenzialità di corruzione ogni volta che qualcuno nel settore pubblico (un politico o un funzionario) deve prendere decisioni che, per definizione, influiscono sulla cosa pubblica, ma soprattutto su interessi privati. Possono essere decisioni che riguardano gli acquisti di beni e servizi della pubblica amministrazione (la fornitura di servizi di pulizia o apparecchi sanitari), la costruzione di opere pubbliche, o decisioni di altro genere (una sentenza resa da un giudice, la scelta di un membro del consiglio di amministrazione di una società partecipata, un'autorizzazione, il rilascio di un qualsiasi documento). Si può parlare di corruzione accentrata (le grandi decisioni prese spesso a Roma) o decentrata (la grande o piccola corruzione sparsa in tutt'Italia). Ci può essere corruzione di funzionari o di politici. Riprenderemo alcuni di questi concetti in seguito, non fosse altro perché è percezione comune che nel corso degli ultimi decenni, soprattutto dopo Tangentopoli, le forme che prende la corruzione in Italia siano cambiate, senza che quest'ultima si sia necessariamente ridotta.

Dare i numeri

Quanto è diffusa la corruzione in Italia? È più diffusa che all'estero? E quanto ci costa essere un paese corrotto? Non è facile rispondere. Per l'evasione fiscale avevamo qualche appiglio (i dati Istat di contabilità nazionale). In questo caso no. Il problema è complicato poi dal fatto che, per sua natura, la corruzione tende a non avere testimoni, se non il corrotto e il corruttore, che hanno un comune interesse a tenerla nascosta. La vittima, spesso anche se non

41

sempre, non è un privato cittadino che potrebbe denunciare il torto, ma l'intera collettività che non è a conoscenza di fatti specifici.[2]

Nonostante le difficoltà, credo sia comunque utile guardare ai dati disponibili sull'estensione della corruzione e sulle sue conseguenze economiche. Noi economisti, forse, siamo più spregiudicati di altri nell'uso dei dati e non ci spaventiamo troppo nell'essere un po' imprecisi. Ci sono però dei limiti all'imprecisione e, prima di andare a vedere quello che indicatori relativamente affidabili ci possono dire, sgombriamo il campo da alcune cifre che da anni circolano nella stampa, che non hanno fondamento e che danno una chiara rappresentazione dell'espressione colloquiale "dare i numeri".

La cifra più frequentemente riportata dai media riguardo la corruzione in Italia è che questa "ci costa 60 miliardi l'anno", ossia il 3,5 per cento del Pil. Se cercate su Google "corruzione" e "60 miliardi", vi risulteranno circa 938.000 riferimenti. Ne hanno parlato anche diversi politici, talvolta individuando questi 60 miliardi come una fonte di copertura per nuove proposte di spese. È una bufala. Prima di tutto chi cita i 60 miliardi non spiega mai a cosa si riferiscono. È il totale delle tangenti incassate dai corrotti? È la perdita per lo stato derivante da attività di corruzione? È la perdita di Pil come conseguenza dei fenomeni corruttivi? Nessuno lo dice. In ogni caso, da dove viene la cifra dei 60 miliardi?

Il primo documento ufficiale che riporta una cifra simile è il rapporto del Servizio anticorruzione e trasparenza (SAeT) della presidenza del Consiglio datato 2 marzo 2009, in cui a p. 20 si dice: "Le stime che si fanno sulla corruzione, 50-60 miliardi all'anno, senza un modello scientifico diventano opinioni da prendere come tali ma che, complice a volte la superficialità dei commentatori e dei media, aumentano la confusione [...]".[3] Quindi si citava la cifra per criticarne la rilevanza (leggete la nota seguente se volete sapere da dove, forse, arrivava la cifra di 50-60 miliardi citata dal SAeT).[4] Tre mesi dopo (il 25 giugno del 2009), però, una relazione della Corte dei Conti notava che, in tempi di crisi, la corruzione poteva "incidere sullo sviluppo economico del Paese anche oltre le stime effettuate dal SAeT [...] nella misura prossima a 50/60 miliardi di euro all'anno, costituenti una vera e propria tassa immorale ed occulta pagata con i soldi prelevati dalle tasche dei cittadini".[5] È un mistero perché la Corte abbia attribuito al SAeT una stima che, solo tre mesi prima, lo stesso SAeT stesso aveva criticato. Ma ormai la frittata era fatta. La cifra di 50-60 miliardi veniva a questo punto ampiamente riportata dalle agenzie (arrotondata, per esempio, da Reuters a 60 miliardi), citando come fonte la Corte dei Conti. E fu così che iniziò il rimbalzo dei 60 miliardi da un posto all'altro, incluso in un documento della Commissione europea. La Corte dei Conti riportò la cifra a p. 100 della relazione del procuratore generale Lodovico Principato del 16 febbraio 2012, anche se in modo ipotetico ("Se l'entità monetizzata della corruzione annuale in Italia è stata correttamente stimata in 60 miliardi di euro dal SAeT [...]") e per notare che il dato sembrava esagerato, e quindi poco credibile, se confrontato con una stima fatta dalla Commissione europea di 120 miliardi di costo della corruzione per l'intera area. Anche lo staff del Fondo monetario internazionale voleva citarla in un lavoro sulla corruzione uscito nel maggio 2016, ma, come Direttore esecutivo rappresentante l'Italia al Fondo, segnalai l'errore in tempo prima della pubblicazione. Nessuno è invece riuscito a fermare il pentastellato Alessandro Di Battista che la citava nuovamente nel dicembre 2016, indicandola come fonte di copertura per un possibile reddito di cittadinanza.[6] Né lo si può biasimare troppo perché un altro recente rapporto ufficiale, quello del GRECO (Group of States against Corruption, del Consiglio d'Europa, pubblicato nel gennaio 2017) riprendeva la cifra, sempre citando come fonte la Corte dei Conti.[7] Sicuramente non è finita qui.

Seconda bufala, o quasi. Nella Requisitoria orale del procuratore generale della Corte dei Conti del 28 giugno 2012 (a p. 13) si diceva che i costi della corruzione sono "costituiti dall'incremento della spesa dell'intervento pubblico: c'è una lievitazione dei costi strisciante ed una lievitazione straordinaria che colpisce i costi delle grandi opere, calcolata intorno al 40 per cento". Questo 40 per cento veniva poi ripreso a p. 16 della relazione Patroni Griffi sulla corruzione del 2012 (vedi http://trasparenza.formez. it/content/rapporto-commissione-studio-e-lelaborazione-proposte-tema-trasparenza-e-prevenzione-pa) e da allora ha cominciato a rimbalzare, indicandosi come fonte o la Corte dei Conti o la relazione Patroni Griffi. Non esiste però nessuna documentazione su come la Corte dei Conti sia arrivata a questa stima, come notato dal prof. Lucio Picci, docente all'Università di Bologna (https://sites.google.com/site/lucioxpicci/costo_corruzione_italia).

Terzo esempio. Nella relazione della Corte dei Conti appena citata si dice anche: "È stato calcolato che ogni punto di discesa nella classifica di percezione della corruzione (sembra che l'Italia attualmente sia al 69mo posto su 182) provoca una perdita del 16 per cento degli investimenti all'estero". Ciò suggerirebbe che, per esempio, passando dal 69mo al 70mo posto si perda il 16 per cento degli investimenti esteri, dal 70mo al 71mo posto un altro 16 per cento, e così via. La fonte della stima è Transparency International. In realtà, il rapporto di Transparency International dice che gli investimenti esteri calano del 16 per cento se si perde un punto nel loro indice di trasparenza, non se si perde una posizione in classifica. Fa una bella differenza: perdere un punto vuol dire perdere una ventina di posizioni in classifica.[8]

Insomma, occorre stare attenti con i numeri che circolano quando si parla di corruzione. Ma non scoraggiamoci e, con tutte le cautele del caso, addentriamoci nei meandri delle informazioni disponibili. Ci sono due approcci alla misurazione dell'estensione della corruzione in un paese: quello basato su elementi oggettivi e quello basato su sondaggi della percezione o dell'esperienza diretta di episodi di corruzione.

Gli indicatori oggettivi

Come ha sottolineato più volte Raffaele Cantone, presidente dell'Autorità nazionale anticorruzione (Anac), le uniche misure oggettive della corruzione sono quelle basate sulle denunce e sulle condanne per reati di corruzione.[9] Queste misure lasciano però spazio a diverse interpretazioni. Per esempio, un aumento delle condanne rispetto al passato, o un più elevato numero di condanne rispetto ad altri paesi, è dovuto a una maggiore efficacia della repressione o alla maggiore intensità della corruzione? Pur con questi *caveat*, è utile guardare alle statistiche giudiziarie.

In Italia, negli ultimi anni, le condanne per reati di corruzione e affini sono state circa 600 l'anno, ossia una ogni 100.000 abitanti o, se preferite, una ventina ogni 100.000 dipendenti pubblici. Come si confrontano questi dati con l'estero? Una pubblicazione della Commissione europea ci dà qualche informazione sulle condanne negli altri paesi.[10] In Germania, le condanne sono circa 300-350 all'anno, circa lo 0,4 ogni 100.000 abitanti, cioè meno della metà che da noi. In Francia, sono circa 150-200 all'anno, ossia poco più di 0,2 ogni 100.000 abitanti. Quindi è un dato di fatto che da noi si condanna di più.[11] A meno di pensare che la giustizia italiana sia di gran lunga più severa o efficiente di quella francese o tedesca, il maggior numero di condanne fa pensare che effettivamente la corruzione in Italia sia più diffusa che in Francia e Germania. Certo, rispetto al numero degli inquisiti il numero delle condanne è relativamente modesto, anche se non è possibile fare confronti internazionali per mancanza di dati affidabili. Nel periodo 2004-2010, per esempio, le denunce erano circa 1200 all'anno (si vedano i dati a p. 112 della relazione al parlamento del SAeT per l'anno 2010), quindi i condannati sono circa la metà dei denunciati. Piercamillo Davigo (a p. 8 del suo *Il sistema della corruzione*) ci dice però che, almeno in parte, il basso numero di condanne rispetto agli inquisiti dipende dal fatto che molti casi finiscono in prescrizione, oppure che nel frattempo si cambiano le leggi per evitare le condanne.

Ma come è cambiata nel tempo l'azione di repressione della corruzione? Una cosa è certa: si denuncia più che nel periodo pre-Tangentopoli. Secondo dati Istat riportati da Alberto Vannucci (a p. 74 del citato libro), le denunce per corruzione e concussione nel periodo 1984-1991 erano intorno alle 400 all'anno. Con Tangentopoli il numero sale rapidamente superando i 3000 denunciati nel 1995. Poi inizia la discesa con un minimo di 1000 persone nel 2000. La cifra riprende poi a salire un po' restando comunque su livelli ben più alti di quelli pre-Tangentopoli. E le condanne? Anche qui la tendenza è simile, anche se con un ovvio sfasamento temporale rispetto ai dati sulle denunce. Le condanne erano ancora più di 800 l'anno nel 2000, poi sono rapidamente scese, anche se ormai da una decina d'anni si sono attestate, come si è detto sopra, a circa 600 l'anno, sopra ai livelli pre-Tangentopoli.[12]

Oltre ai dati giudiziari, c'è qualche altro dato oggettivo sull'entità della corruzione? Sì, ma non molti. Quello che c'è deriva dall'osservazione di quanto le opere pubbliche costino in Italia rispetto a quello che ci si aspetterebbe sulla base di vari indicatori, inclusi i confronti internazionali. Colpisce, per esempio, il fatto che, prima dei tagli di spesa resi necessari dalla crisi economica iniziata nel 2008-2009, la spesa per investimenti pubblici in Italia fosse stata nella media, tra il 1995 e il 2007, del 30 per cento più alta che in Germania, rispetto al Pil. Le nostre infrastrutture erano forse tanto migliori rispetto a quelle tedesche? Anche scontando la più complessa orografia del nostro territorio, una spesa del 30 per cento superiore sembra difficile da giustificare (ricordiamoci che nel periodo considerato la Germania doveva affrontare spese aggiuntive per l'unificazione).

L'idea di confrontare la spesa per opere pubbliche con il valore delle stesse venne sviluppata in modo più sistematico in un lavoro di una decina d'anni fa sulla corruzione in diverse regioni d'Italia. Miriam Golden e Lucio Pucci[13] raccolsero pazientemente i dati sulla spesa d'investimento per regioni e li confrontarono con una stima del valore effettivo delle infrastrutture costruite nelle diverse regioni d'Italia. La differenza tra spesa e valore delle infrastrutture, confrontata con la media nazionale, ci informa su come la spesa di una certa regione sia anomala rispetto alla media. Si tratta di una misura non solo della corruzione, ma anche dell'inefficienza della spesa. Ci dà comunque un'idea delle anomalie nella spesa pubblica tra le varie regioni italiane. Il dato forse più significativo è che l'indice di corruzione/inefficienza nelle regioni del Sud è dal 30 al 60 per cento più elevato della media nazionale, con l'eccezione della Sardegna dove la deviazione è inferiore al 20 per cento (questo anche dopo aver corretto per differenze orografiche). Nel Nord, l'unica regione anomala è invece la Liguria. Si tratta di valutazioni molto approssimative, ma che ci suggeriscono che la corruzione, o per lo meno l'inefficienza, sia molto più elevata nel Sud che nel resto del paese. Questa conclusione è corroborata dai dati sulle denunce per corruzione: il numero di denunce è più elevato nelle regioni del Centro-Sud che occupano le prime sette posizioni nella classifica (come riportata a p. 78 del citato libro di Vannucci). La prima regione del Nord in questa spiacevole classifica è proprio la Liguria. Ci sono eccezioni: Marche e Sardegna sono tra le migliori. Ma la differenziazione geografica è piuttosto chiara.

Vox populi

Passiamo a quello che ci dicono i sondaggi. Ne esistono di due tipi: quelli che si riferiscono alla percezione della corruzione (che includono, per esempio, domande del tipo: "Pensate che nel vostro paese la corruzione sia un problema serio?") e quelli basati sull'esperienza diretta di corruzione ("Vi è stato chiesto di pagare una mazzetta negli ultimi dodici mesi?"). Da questi sondaggi si ricavano indici di percezione e di esperienza diretta di corruzione. Spesso danno risultati simili, ma ci sono eccezioni e noi siamo un'eccezione.

Se guardiamo agli indici di percezione della corruzione, l'Italia è messa proprio male. Gli indici più famosi sono il Corruption Perception Index (Cpi) di Transparency International e il Rating of Control of Corruption (Rcc) della Banca mondiale. Entrambi sono basati su sondaggi in cui si chiede ai cittadini, o a sottogruppi di questi, come percepiscano la diffusione dei fenomeni di corruzione. Secondo il primo indice, nell'edizione del 2016, l'Italia è al 60mo posto su 176 paesi. Tra i paesi avanzati, peggio di noi solo la Grecia. Appena prima di noi c'è la Romania, a pari merito Cuba, dopo di noi São Tomé e Príncipe. Anche il Ruanda ci batte. L'indice è disponibile dal 1995. Se andiamo indietro nel tempo troviamo anche punteggi peggiori (prima del 2000 per esempio), ma tuttora non c'è da stare allegri.[14] Sulla base dell'indice Rcc, quasi metà dei paesi considerati avrebbero un grado di corruzione inferiore al nostro. Non solo ma, negli ultimi vent'anni, la nostra posizione sarebbe tendenzialmente peggiorata (nel 1996 solo un terzo dei paesi stava meglio di noi). C'è anche l'informazione che ci arriva da un'indagine condotta nel 2014 dalla Commissione europea tramite il suo "Eurobarometro". Alla domanda "Quanto è diffusa la corruzione?", il 97 per cento degli italiani rispondeva che è "molto diffusa" o "abbastanza diffusa". Dietro a noi stava solo la Grecia (al 99 per cento).

Ora, questi indici di percezione hanno parecchi difetti. Primo, sono probabilmente influenzati dalle condizioni generali dei singoli paesi: sia l'indice elaborato per l'Italia da Transparency International, sia quello della Banca mondiale sono notevolmente peggiorati dal 2008, cioè da quando è iniziata la crisi economica. In altri termini, se le cose vanno male economicamente, la gente tende a vedere tutto in maniera più negativa. Secondo, ci sono studi che dimostrano che le risposte ai sondaggi sulla corruzione sono molto influenzate da quello che dicono i media.[15] Infine, non c'è garanzia che il termine "corruzione" sia interpretato nello stesso modo tra i vari paesi.

Ciò detto, le indicazioni che arrivano da questi sondaggi non possono essere trascurate. Magari le indagini saranno influenzate da quello che dicono i media, ma forse in Italia i media parlano molto di corruzione perché ci sono più corrotti. Magari siamo dei lamentosi per natura, e magari ci lamentiamo di più quando l'economia va male, ma siamo troppo indietro per pensare che non ci sia un po' di arrosto dietro al fumo. Magari, viste le diversità nei sistemi legali, il dato italiano non sarà confrontabile con quello del Ruanda, ma il fatto che siamo così indietro rispetto agli altri paesi avanzati è preoccupante.

Anche gli indici di percezione ci danno qualche informazione su come il livello di corruzione muti tra le diverse regioni italiane, indicazioni che collimano con quelle degli indicatori oggettivi. Uno studio preparato per la Commissione europea dall'Università di Göteborg ci dice che in Italia la variabilità nella percezione del grado di corruzione (o per lo meno nella qualità delle istituzioni) tra diverse regioni è più elevata che all'estero.[16] Lo studio ci dice anche che le regioni italiane con una minore percezione della corruzione sono tutte al Nord (Trentino-Alto Adige, Val d'Aosta, Friuli-Venezia Giulia) e compaiono nella parte alta della classifica europea, mentre quelle del Sud sono tutte in fondo.

Gli indici basati sull'esperienza diretta di corruzione ci danno invece una visione più positiva dell'Italia, sia in termini assoluti, sia rispetto agli altri paesi. Il già citato sondaggio del 2014 della Commissione europea ci dice che solo il 6 per cento degli intervistati avrebbe sperimentato, o sarebbe stato testimone di episodi di corruzione negli ultimi dodici mesi. Non siamo tra i migliori, ma siamo comunque un po' meglio della media europea e molto meglio di altri paesi del Sud Europa (la Grecia, per esempio, è agli ultimi posti con il 13 per cento). Stessa tendenza rispetto alla domanda sulla conoscenza diretta di persone che hanno preso tangenti: solo il 9 per cento risponde di conoscerne, allo stesso livello della Finlandia, meglio della media europea (12 per cento) e molto meglio della Grecia (31 per cento).

Questa discordanza tra indici basati sulla percezione della corruzione e indici basati sull'esperienza diretta di corruzione viene spesso citata per sostenere che gli indici di percezione sono distorti dalla tendenza, tutta italiana, a parlare male di noi stessi. Per gli altri paesi esiste una forte correlazione tra indici di percezione e indici di esperienza della corruzione, per noi no. Vuol dire che in Italia non c'è più corruzione che all'estero e che è tutta una questione di

49

falsa percezione? Non proprio. In un'altra risposta al sondaggio Eurobarometro, pure relativa all'esperienza di corruzione ("Siete personalmente toccati dalla corruzione nella vostra vita giornaliera?"), torniamo di nuovo tra gli ultimi: il 42 per cento dice di sì, molto al di sopra della media europea (26 per cento). Anche secondo un altro sondaggio sull'esperienza diretta di corruzione – il Global Corruption Barometer di Transparency International – non andiamo affatto bene: nell'ultima indagine (per il 2016) il 7 per cento degli intervistati dichiara di aver dovuto pagare una mazzetta negli ultimi dodici mesi per ricevere un servizio pubblico: siamo nella media dell'Unione europea, ma se escludiamo i paesi dell'ex blocco comunista siamo gli ultimi (sempre Grecia a parte).

In ogni caso, è possibile che figuriamo meglio nelle classifiche di esperienza diretta per una mancanza di fiducia nell'anonimità delle risposte fornite ai sondaggi: insomma, gli italiani potrebbero (più degli altri) temere che se ammettono di aver sperimentato atti di corruzione, la cosa gli si potrebbe ritorcere contro. Si sa che noi italiani siamo sospettosi. Infine, è anche possibile che la piccola corruzione (il pagare per esempio un vigile per non essere multati), quella che coinvolge la gente comune, sia meno diffusa da noi, mentre sia più diffusa la corruzione nelle medie e grandi decisioni che la pubblica amministrazione deve prendere, quelle che poi finiscono sui giornali.

Tiriamo le somme

Insomma, siamo più o meno corrotti degli altri paesi? E più o meno che in passato? Ci sono abbastanza elementi per raggiungere tre conclusioni.

Primo, rispetto agli altri paesi avanzati siamo messi peggio. Probabilmente non ci troviamo così indietro come appare nelle classifiche di percezione, che riflettono anche la nostra tendenza ad autoflagellarci, ma nel complesso la corruzione è più diffusa in Italia che nei principali altri paesi avanzati. Forse c'è meno piccola corruzione, ma ce n'è molta nelle grandi decisioni prese dalla pubblica amministrazione (appalti e forniture in particolare).

Secondo, c'è più corruzione nelle regioni del Sud che in quelle del Nord, forse anche come riflesso della commistione della corruzione con la criminalità organizzata di cui parla, tra gli altri, Piercamillo Davigo nel quarto capitolo del già citato libro. Ma gli "anticorpi" presenti a Milano, come li ha definiti Raffaele Cantone, non ci possono far dimenticare che esiste corruzione anche al Nord.

Terzo, non è chiaro se la corruzione sia aumentata o meno rispetto al passato. Credo che, dopo Tangentopoli, la si combatta di più, o almeno questo appare dal numero delle denunce e delle condanne che, seppure ridotte rispetto al picco degli anni novanta, restano comunque più numerose che negli anni ottanta. Ma c'è comunque chi pensa che la corruzione sia aumentata anche nel corso degli ultimi due decenni. Secondo una ricerca del Centro studi di Confindustria,[17] nonostante le difficoltà di misurazione "sono numerosi gli indizi di crescente corruzione nella degenerazione del quadro istituzionale italiano: costi della politica molto più elevati [...] dilagare delle società controllate [...] moltiplicarsi di scandali nelle amministrazioni locali [...] la trasformazione della carriera politica da missione-passione in strumento di arricchimento personale". Restano però affermazioni difficili da documentare.

Quello che appare sicuro, o almeno opinione diffusa, è che sono mutati certi aspetti della corruzione: prima di Tangentopoli la corruzione era gestita centralmente dai partiti e volta al finanziamento di questi ultimi, per importi elevatissimi che probabilmente oggi non vengono raggiunti: la "madre di tutte le tangenti", quella del processo Enimont, raggiunse i 150 miliardi di lire (75 milioni di euro). Ora la corruzione risulta più decentrata, più presente sul territorio, più diffusa nelle migliaia di società partecipate dagli enti locali, più caratterizzata da un legame stabile tra corrotto e corruttore, come notano Cantone e Caringella a p. 43 del libro citato.[18] Nelle parole di Piercamillo Davigo, "le linee portanti dei fenomeni corruttivi e del rapporto fra corruzione e crimine organizzato sono rimaste sostanzial-

51

mente invariate negli ultimi quarant'anni [...] sono variate le modalità concrete di manifestazione di questi fenomeni e le tecniche utilizzate. Negli anni Ottanta e Novanta del Novecento vi era, per quanto riguarda la corruzione politica, un sistema accentrato, con versamenti occulti alle segreterie di diversi partiti politici [...] Accanto a questo sistema accentrato (o talvolta al suo interno), vi era un sistema decentrato di corruzione che coinvolgeva numerosi soggetti con tangenti di importo meno rilevante. Parallelamente alla corruzione politica vi era poi una vasta area di corruzione burocratica [...] direi che la prima area (quella della corruzione politica accentrata) sembra aver subito colpi duri, mentre la seconda e la terza (quella della corruzione politica decentrata e della corruzione burocratica) sembrano aver superato con facilità le attività di contrasto investigativo e giudiziario" (pp. XIII-XIV del citato libro).

Gli effetti economici della corruzione

La corruzione è criticabile da un punto di vista etico e andrebbe combattuta ugualmente anche se non avesse conseguenze economiche. La corruzione, per esempio, erode la fiducia dei cittadini nello stato democratico e facilita quindi l'instaurarsi di dittature più o meno palesi.[19] Qui però ci occuperemo soprattutto delle conseguenze economiche della corruzione.

Una tra queste riguarda innanzitutto le finanze pubbliche. Quanto costa la corruzione in termini di minori entrate o maggiore spesa? Non lo sappiamo. Il costo della corruzione per lo stato va però ben al di là dell'importo delle tangenti. Se un funzionario pubblico prende una tangente da 50.000 euro per assegnare un appalto a un corruttore, vuol dire che il corruttore ci guadagna più di 50.000 euro e che, quindi, il costo per lo stato aumenta per un multiplo di 50.000 euro. Se una tangente è pagata perché un funzionario delle Entrate non faccia bene un'ispezione, state tranquilli che la perdita, in termini di entrate fiscali, sarà superiore alla tangente pagata. Il costo per le finanze pubbliche è quindi molto superiore al totale delle tangenti. Purtroppo non c'è una stima affidabile delle maggiori spese pubbliche o delle minori entrate attribuibili alla corruzione. Ho già spiegato che la stima di 60 miliardi di costo di corruzione non ha nessun valore e non si capisce neppure a cosa si riferisca esattamente. Si potrebbero avanzare delle ipotesi, per esempio basate sull'eccesso di spesa per investimenti pubblici rispetto a standard internazionali, o a standard di costo ragionevoli. Per esempio, Transparency International, in un rapporto pubblicato nel 2007, nota il crollo dei costi di costruzione di certe opere pubbliche prima e dopo Tangentopoli: "Il costo per la costruzione della metropolitana di Milano è passato da 300-350 miliardi di lire per chilometro nel 1991 a 97 nel 1995. Il costo del passante ferroviario è sceso da un totale di 1994 miliardi a 1452, e l'aeroporto di Malpensa aveva una previsione originaria di costi pari a 4200 miliardi che si è poi ridotta a 1990".[20] Gli importi sono quindi rilevanti, ma non conosco nessuna analisi accurata dell'eccesso di spesa pubblica dovuto a corruzione. Inoltre c'è la difficoltà di distinguere tra costi dovuti alla corruzione e costi dovuti all'inefficienza. Tutto sommato, in attesa di informazioni più approfondite preferisco evitare di riportare stime azzardate che potrebbero cominciare a rimbalzare accrescendo la confusione già esistente. Ma non si tratta di importi trascurabili tenendo conto del fatto che la pubblica amministrazione spende per beni e servizi correnti e per investimenti pubblici più di 100 miliardi di euro l'anno.

La seconda conseguenza della corruzione riguarda il funzionamento dell'economia. Un'economia corrotta funziona male, produce meno e cresce meno. In altre parole, c'è una perdita in termini di Pil che coinvolge tutti. A dire il vero, qualcuno ha ipotizzato che, in certe condizioni, un po' di corruzione possa persino far bene all'economia, in quanto "olia" il sistema. Se una burocrazia è così inefficiente che le decisioni possono essere prese in modo rapido solo se qualcuno paga, allora paradossalmente pagare una tangente fa muovere più svelta l'economia. Come scrisse alla fine degli anni sessanta Samuel Huntington, politologo di Harvard, "l'unica cosa peggiore di una società con una burocrazia rigida, troppo centralizzata e disonesta è una società con una burocrazia rigida, troppo centralizzata e onesta".[21] In realtà, lavori empirici successivi sulla relazione tra corruzione e crescita economica hanno smentito questa ipotesi. È quindi opinione prevalente che la corruzione faccia male all'economia attraverso almeno tre canali.

Primo, la corruzione danneggia il meccanismo della concorrenza che è fondamentale per un'economia di mercato: emergono non le imprese più efficienti, ma quelle che corrompono di più. Secondo, la corruzione distorce la spesa pubblica: vanno avanti non i progetti prioritari, ma quelli che convogliano più tangenti. Terzo, i controlli che la lotta alla corruzione rende necessari finiscono per aumentare la burocrazia e danneggiano le imprese, soprattutto le piccole e medie che hanno meno risorse da spendere in adempimenti burocratici.

Quanto contano questi fattori? Anche qui occorre prudenza. Le stime disponibili sono basate su modelli econometrici delle cause della crescita economica in campioni di paesi osservati per un certo periodo di tempo. Uno dei pionieri in quest'area è un italiano, Paolo Mauro, che nel 1995 scrisse un articolo, da allora molto citato, in cui si calcolava l'effetto sulla crescita e sugli investimenti delle differenze tra paesi negli indici di percezione della corruzione.[22] Diversi studi hanno poi seguito il lavoro di Mauro, e tutti concludono che la corruzione riduce in modo sostanziale il Pil pro capite e il suo tasso di crescita. Un calcolo che ha attirato una certa attenzione è quello fatto da Lucio Picci.[23] Picci conclude, sulla base di un modello econometrico stimato da una ricercatrice danese (Jeanet Sinding Bentzen), che, se l'Italia avesse lo stesso grado di corruzione della Germania, il Pil pro capite italiano sarebbe di oltre un terzo più alto (oltre 500 miliardi in più in totale). Lo stesso Picci afferma che "è lecito dubitare di questo risultato". Il problema con simili modelli econometrici è che spesso, per quanti sforzi si facciano, non è possibile isolare l'effetto sul reddito pro capite di un singolo fattore strutturale. Italia e Germania differiscono per tanti fattori spesso legati alla qualità delle istituzioni e alla dotazione di capitale sociale (il grado di evasione fiscale, l'eccesso di burocrazia, e altri dei peccati capitali discussi in questo libro) e questi fattori sono spesso correlati tra loro. Per cui, si finisce per attribuire a un singolo fattore, in questo caso il diverso grado di corruzione, anche l'effetto di un insieme di altri fattori. Ma il calcolo di Picci suggerisce che queste differenze nella qualità delle istituzioni (tra cui il diverso grado di corruzione) hanno un impatto molto elevato sul Pil pro capite.[24] Quindi non sono trascurabili.

Le cause della corruzione

Una cosa è chiara dai dati: in media i paesi con reddito pro capite più basso hanno livelli di corruzione più alti. Questo probabilmente per una serie di motivi: paesi poveri hanno istituzioni più deboli, spendono meno per la pubblica istruzione, hanno un "capitale sociale" piuttosto basso. Ora, il nostro reddito pro capite si è ridotto rispetto a quello tedesco, di oltre il 20 per cento dal 2000 (come discusso nel cap. 7). La crisi economica degli ultimi anni può aver facilitato quindi, se non la diffusione, almeno la permanenza della corruzione. Ma la differenza di reddito pro capite non spiega il fatto che l'Italia appariva più corrotta di altri paesi avanzati anche negli anni ottanta e novanta, quando il nostro reddito pro capite era in linea con quello, per esempio, tedesco. Tutto sommato, per spiegare perché la corruzione è più diffusa da noi occorre andare a cercare altre cause.

Ne citerei tre.[25] La prima riguarda un altro dei peccati capitali discussi in questo libro (nel cap. 3), ovvero la complessità burocratica del nostro paese: quanto più grande è l'apparato burocratico, quanto più numerose le decisioni che la pubblica amministrazione deve prendere, quanto più complesso è il sistema legislativo, tanto più sale il rischio di corruzione. Il citato lavoro di Paolo Mauro (a p. 685) riporta diversi studi sulla correlazione tra corruzione e burocrazia. E Cantone e Caringella (a p. 57 del loro libro) ci ricordano il parere di Tacito in proposito: "Molte leggi, molta corruzione", anche se, a dire il vero, Tacito sottolineava una diversa linea di causalità (quando c'è più corruzione, si fanno molte leggi per fini particolari).[26]

La seconda causa è alla base di altri peccati discussi in questo libro: manchiamo storicamente di "capitale sociale" e la corruzione è così spesso giustificata moralmente. Come scrive Nando Pagnoncelli dell'Ipsos nello studio di Confindustria: "La corruzione è considerata una sorta di tratto antropologico. Ciò determina un'alternanza di atteggiamenti di indignazione e di indulgenza (o auto-indulgenza) a seconda della prossimità o della distanza rispetto alla propria situazione personale. La piccola impresa o il commerciante, con cui ci si identifica maggiormente rispetto alle grandi imprese, sono giudicati con benevolenza perché la corruzione è spesso considerata una condizione di sopravvivenza della loro attività". È una cosa che ci trasciniamo dal passato. Già Giacomo Leopardi e Alessandro Manzoni descrivevano le "debolezze degli anticorpi civili degli italiani".[27] Questa mancanza di capitale sociale spiega anche perché, in generale, il rispetto delle regole sia così basso in Italia.[28]

La terza causa della maggiore corruzione nel nostro paese rispetto agli altri paesi avanzati è che in passato non abbiamo impiegato gli strumenti adatti per correggere il problema. Qui però ci sono due scuole di pensiero.

Una prima scuola di pensiero sostiene che, fino agli anni più recenti, ci siamo preoccupati soprattutto di reprimere, sanzionando le responsabilità penali personali, e non abbastanza di prevenire, creando, al di fuori della pubblica amministrazione e al suo interno, gli anticorpi che stroncassero sul nascere i fenomeni corruttivi. Non c'era abbastanza trasparenza nei dati sulla spesa pubblica dei vari enti, sui singoli contratti, sui redditi dei funzionari pubblici. E non esistevano strutture che avessero lo scopo principale di prevenire la corruzione. Mancava anche una tutela dei *whistleblowers*, cioè di chi è pronto a denunciare i fatti corruttivi (particolarmente importante in un paese che tra i suoi detti include "chi fa la spia non è figlio di Maria"...). Tra i sostenitori di questa scuola sono compresi la Confindustria (a p. 101 del citato rapporto), la commissione sulla corruzione presieduta da Sabino Cassese nel 1996, quella presieduta da Roberto Garofoli nel 2012, e lo stesso Raffaele Cantone (si veda il suo articolo *La lotta alla corruzione affidata solo alle procure è destinata al fallimento*, cofirmato da Caringella e apparso il 2 aprile 2017 su "Repubblica"). Anche Gherardo Colombo, uno dei protagonisti di Tangentopoli, in varie occasioni ha sottolineato la priorità da dare alla prevenzione ("Bisogna agire sulla prevenzione per cambiare le cose").[29]

Secondo un'altra scuola di pensiero, invece, in Italia non c'è stata abbastanza repressione. Non solo esistono debolezze di fondo che riguardano la generale applicazione della legge, caratterizzata da un'atavica lentezza (vedi cap. 4), ma, dopo Tangentopoli, si sono allentate le misure sanzionatorie, rendendo più facile che un reato di corruzione finisse in prescrizione e ammorbidendo le norme in materia di falso in bilancio (un reato connesso alla corruzione perché volto a generare e occultare le somme con cui corrompere). Oltre a ciò, chi sostiene questa tesi ritiene che le pene stesse siano inadeguate. Per esempio, nell'80 per cento dei casi la pena media per peculato (art. 314 del Codice penale) non supera i due anni (i dati si riferiscono al 2013 e sono di fonte ministero della Giustizia), percentuale che sale quasi al 90 per cento per la corruzione per atto contrario ai doveri di ufficio (art. 319). È più bassa per il reato di concussione (art. 317), eccedendo comunque il 50 per cento dei casi. Insomma, per dirla alla Davigo: "La repressione della corruzione in Italia è sostanzialmente inesistente" (p. 61 del citato libro).

Naturalmente, entrambe le scuole riconoscono che sia la prevenzione sia la repressione sono importanti (per esempio, Cantone e Caringella dedicano diverse pagine del loro libro alla repressione), ma differiscono sull'enfasi posta sulla prima o sulla seconda. Chi ha ragione? La logica direbbe che occorre muoversi rafforzando entrambe, e infatti ci si è mossi in entrambe le direzioni, anche se solo parzialmente e con qualche difficoltà di implementazione.

Cosa si è fatto e si può ancora fare: la prevenzione

Qualche passo importante si è compiuto, soprattutto in termini di prevenzione. Le misure più importanti sono contenute nella legge Severino del 2012 (legge 190/2012), nel decreto legge 90 sulla riforma della pubblica amministrazione (D.L. 90/2014) e in quello che Cantone ha chiamato, nella sua relazione al parlamento del 2016, la "rivoluzione copernicana" del nuovo Codice appalti (il D.L. 50/2016), il codice che regola le procedure con cui la pubblica amministrazione gestisce le gare d'appalto.

L'attuale strategia di prevenzione è basata su tre componenti:

• Primo, obblighi di maggiore trasparenza, in termini di pubblicazione dei conti delle pubbliche amministrazioni, dei redditi e patrimoni di politici e amministratori, nonché dei prezzi a cui la pubblica amministrazione compra beni e servizi.

• Secondo, il potenziamento a livello centrale delle strutture volte a combattere la corruzione, con la creazione nel 2012 di un'autorità anticorruzione, l'Anac, che veniva rafforzata nel 2014 e assorbiva la poco efficace Autorità per la vigilanza sui contratti pubblici (Avcp) che, tanto per dire, raccoglieva informazioni su tutti i contratti di acquisto della pubblica amministrazione, sapendo quanto si era speso ma non quanto si era comprato, con la conseguente impossibilità di ricavare i relativi prezzi di acquisto.[30] Raffaele Cantone, magistrato noto per competenza e integrità, ne veniva messo a capo nel 2014. Si attribuivano all'Anac nuovi compiti di prevenzione della corruzione, attraverso la promozione della trasparenza, la vigilanza sulla gestione degli appalti e la funzione di regolazione e indirizzo, per esempio in materia di *whistleblowing*.

• Terzo, la definizione, a livello nazionale, di un piano

anticorruzione (Pna) preparato ogni tre anni dall'Anac e, a livello locale, di piani anticorruzione ente per ente (ne sono stati approvati ben 1900 per il periodo 2015-2017), con la nomina, in ogni ente, di un responsabile per la prevenzione della corruzione.

Qual è stato l'effetto? Siamo ancora agli inizi della creazione di un robusto apparato di prevenzione della corruzione. Cantone, nella sua relazione annuale al parlamento del luglio 2016, diceva chiaramente: "I risultati, purtroppo, non sono incoraggianti e dimostrano come il primo PNA del 2013 sia rimasto sostanzialmente un pezzo di carta", aggiungendo che la qualità dei piani adottati dalle amministrazioni locali era "modesta" e che era stata considerata "un mero adempimento formale". Anche altre attività hanno dato risultati modesti: Cantone nota, per esempio, che le segnalazioni per *whistleblowing* sono aumentate, ma che "raramente si sono rivelate utili" e che non si è provveduto a pubblicare molte informazioni che dovevano essere rese note obbligatoriamente per attuare le disposizioni sulla trasparenza. Forse c'è anche un problema di qualità delle informazioni: la pubblicazione di informazioni potrebbe non servire a molto se non accompagnata da un aiuto per la loro interpretazione da parte di un pubblico vasto.

Il problema generale è che, spesso, in Italia più che in altri paesi, gli adempimenti o rimangono lettera morta o sono soddisfatti solo in modo formale. Come dice Davigo, "noi abbiamo un sistema normativo di standard più o meno europeo. Ma in realtà i comportamenti sono del tutto diversi da quelli prescritti dalle norme" (p. 43 del citato libro).

Non bisogna però esagerare nelle critiche. È lo stesso Cantone, nella relazione al parlamento del luglio 2017, a indicare che sulla base di un campione dei piani predisposti dalle varie amministrazioni "sono stati riscontrati progressi rispetto al precedente monitoraggio, segno che poco alla volta si stanno metabolizzando le difficoltà connesse a una normativa ancora giovane". È chiaro che non si può cambiare la cultura di un paese da un giorno all'altro, e l'obbligo di preparare piani triennali anticorruzione non è che un passo fra i tanti che si possono compiere e che possono pian piano contribuire alla formazione di una cultura anticorruzione. Insomma, prima della legge Severino e dei provvedimenti che l'hanno seguita, mancava proprio il concetto di costruzione di una tale cultura. Almeno quel concetto ora c'è.

Ci vorrà del tempo, anche se, come sostenuto nell'ultimo paragrafo di questo capitolo, altri paesi sono riusciti a cambiare la loro cultura rapidamente, con l'aiuto di strumenti repressivi. Questa cultura, come in generale la cultura del rispetto delle regole, deve iniziare dalle scuole e dalle famiglie (si veda il capitolo conclusivo del libro).

Altra importante necessità per la quale si è fatto ancora troppo poco: occorre semplificare la legislazione e ridurre la burocrazia. Come ho detto, la corruzione abbonda in sistemi in cui occorre un'autorizzazione a far tutto e in cui c'è sempre un funzionario di mezzo da cui può dipendere vita e morte di un'azienda. Semplificare la pubblica amministrazione (vedi cap. 3) serve quindi anche a ridurre il rischio di corruzione. C'è anche troppo poca flessibilità in nome di un'uguaglianza di trattamento che resta comunque spesso solo sulla carta. Negli Stati Uniti, se uno vuole avere un passaporto in tempi rapidi paga di più: è previsto dalla legge. In Italia, per avere certi documenti più rapidamente occorre pagare ma per vie illegali. Perché non farlo legalmente, non per tutti i servizi, ma almeno per quelli meno essenziali? Si potrebbe obiettare che, oggettivamente, non c'è differenza tra consegnare una mazzetta a un impiegato per avere un servizio più efficiente e pagare legalmente per lo stesso servizio. Ma i casi sono ben diversi: nel primo, i soldi vanno a un singolo individuo che li usa a fini personali, nel secondo vanno alla collettività e possono essere impiegati anche per ampliare i servizi forniti a tutti.

Inoltre, credo sia essenziale una maggiore rotazione negli incarichi dei dirigenti pubblici. Se un dirigente resta nella propria posizione anno dopo anno, diventerà molto più difficile verificare se le sue azioni sono state sempre corrette. La riforma della pubblica amministrazione (la riforma Madia) prevedeva la rotazione degli incarichi, ma non il divieto assoluto di riassegnare un incarico allo stesso dirigente che lo aveva tenuto per anni tranne che per incarichi a rischio di corruzione. In ogni caso, la riforma è stata considerata incostituzionale proprio nella parte che riguardava la dirigenza pubblica (per motivi non attinenti all'aspetto qui considerato).[31]

Infine, occorre cercare di misurare meglio i progressi ottenuti. Non è possibile valutare se la strategia adottata funzioni o meno se non si cerca di misurare il progresso ottenuto: è come guidare al buio. Ho detto quanto sia difficile misurare la corruzione. Ma c'è chi ci ha provato anche in modo ingegnoso (i lavori di Golden e Picci, per esempio). È quindi una buona notizia l'accordo raggiunto da Anac e Istat nel 2016 riguardo a un protocollo d'intesa che potrebbe portare a un miglioramento nei nostri strumenti di monitoraggio del fenomeno.[32]

Cosa si è fatto e si può ancora fare: la repressione

Capisco l'importanza della prevenzione. Non capisco chi sostiene che è più importante della repressione. Maggiore severità nel reprimere la corruzione serve anche a segnalare la gravità dei reati relativi, che minano la fiducia dei cittadini nella gestione della cosa pubblica. La cultura anticorruzione, e quindi anche la prevenzione, non possono che trarre beneficio da adeguati strumenti di repressione.

Questi ultimi, dopo essere stati indeboliti durante la scorsa decade (il già citato ammorbidimento delle norme sul falso in bilancio, l'abbreviamento dei tempi di prescrizione con la legge ex Cirielli), sono stati un po' rafforzati negli ultimi anni. Il reato di falso in bilancio, depenalizzato nel 2002, è stato ricondotto in ambito penale nel 2015; è stato introdotto il reato di autoriciclaggio (il che comporta, per esempio, che se un funzionario riceve una tangente non solo commette un reato perché l'ha ricevuta, ma ne commette un secondo, il reato di autoriciclaggio appunto, quando riutilizza i proventi della corruzione); si è introdotto il reato di traffico di influenze, e si sono inasprite alcune pene. Il nuovo codice antimafia approvato nel settembre 2017 ha esteso ai reati di corruzione, se condotti in forma associativa, le misure antimafia relative alla prevenzione patrimoniale.

Non tutti sono contenti. Davigo pensa che non si sia fatto abbastanza: per esempio, l'aver introdotto nuove fattispecie di reato ha complicato le cose e l'aumento delle pene ha riguardato quelle massime, non le minime. Cos'altro si può fare? Se ci affidiamo a Davigo l'elenco è abbastanza lungo e include (pp. 97-99 del suo libro): l'agevolazione dell'acquisizione di notizie di reato da parte della magistratura, vantaggi per chi collabora, pene più severe per reati come la turbativa d'asta, cambiamenti nella disciplina della prescrizione, l'introduzione di operazioni sotto copertura. Francesco Greco, procuratore capo di Milano, ha più volte sottolineato la necessità di combattere più efficacemente, con pene più severe, i reati finanziari, spesso legati alla corruzione. Cantone e Caringella sembrano essere più contenuti in termini di portata degli interventi, ma pure considerano necessari alcuni ulteriori interventi (per esempio "disposizioni che consentano un più ampio ricorso alle intercettazioni telefoniche e ambientali" e, di nuovo, modifiche nel regime di prescrizione e corsie preferenziali per i processi di corruzione).

Infine, anche in questo caso occorre distinguere tra teoria e pratica: io posso pure aumentare le pene per corruzione, ma se poi il processo si prolunga troppo non ottengo nessun risultato pratico per via dei tempi di prescrizione: e qui si va al tema di un altro capitolo di questo libro, il cap. 4 sulla lentezza del sistema giudiziario.

Controindicazioni e pensieri conclusivi

Combattere la corruzione può avere effetti collaterali indesiderati. Il problema è che gli strumenti (soprattutto preventivi) contro la corruzione hanno la potenzialità di ridurre l'efficienza delle pubbliche amministrazioni oneste, una situazione parallela all'evasione fiscale i cui strumenti possono rendere impossibile la vita agli onesti. Nel caso della corruzione il conflitto tra riduzione del male ed efficienza economica si manifesta in almeno due modi.

Il primo consiste nel tentativo di eliminare la corruzione limitando la discrezionalità della pubblica amministrazione. Se non c'è scelta da parte degli amministratori, non c'è possibilità di corruzione. È questa la strada che si è intrapresa dopo Tangentopoli, ma che è stata poi in gran parte abbandonata perché incoerente con le esigenze di efficienza.[33] Il secondo è la complicazione del processo decisionale attraverso l'introduzione di una serie di adempimenti, pareri, controlli preventivi, ecc. Secondo alcuni, per esempio Sabino Cassese, l'attuale apparato anticorruzione soffre proprio di questo: il nuovo Codice appalti nomina l'Anac 95 volte, introducendo un nuovo livello di burocrazia che rallenta il completamento delle opere pubbliche. Cantone è naturalmente di parere diverso.[34] Queste preoccupazioni per l'eccessiva burocratizzazione della lotta alla corruzione sono valide, ma non devono essere utilizzate, e questo è un rischio, per delegittimare l'operato dell'Anac.

La soluzione al contrasto fra controlli ed efficienza è lo sviluppo di una cultura dell'anticorruzione che renda i controlli meno necessari; e una maggiore trasparenza, cioè la disponibilità di dati e informazioni che consentano uno scrutinio durante il processo decisionale, che può essere anche molto lungo per le opere pubbliche. Il tema della cultura del rispetto delle regole, del vivere civile, del merito, più che dei contatti personali, è il tema sottostante a tutto questo libro. Anche Raffaele Cantone e Francesco Caringella ne sottolineano l'importanza nella lotta alla corruzione (soprattutto alle pp. 201-206 del loro già citato saggio). Del medesimo parere sul ruolo che un cambiamento culturale può svolgere è Gherardo Colombo: "Magari i risultati li vedremo fra vent'anni, ma se avessimo iniziato ad educare la gente venti anni fa, ora non saremmo di nuovo qui a parlare di corruzione".[35]

Ma è anche troppo facile dirlo. Il problema è farlo. Credo che dovremo rassegnarci, per un po', ad avere una perdita di efficienza, se vogliamo vincere la corruzione. Rendiamoci però conto che il problema esiste, non neghiamolo, e cerchiamo di ridurre gli effetti collaterali indesiderati. Per esempio, al momento credo si potrebbe semplificare l'apparato anticorruzione attraverso una migliore divisione di responsabilità tra Anac e dipartimento della Funzione pubblica della presidenza del Consiglio (responsabile per la riforma della pubblica amministrazione), invece di continuare a sovrapporre tali responsabilità (un vizio tutto italiano per cui, per non scontentare nessuno, si creano competenze multiple e si appesantisce la burocrazia).

Voglio concludere questo capitolo con un elemento di speranza. Altri paesi sono riusciti a ridurre la corruzione in pochi anni. Due recenti esempi, ben descritti nel già citato libro di Alberto Vannucci (pp. 253-255), sono Singapore e Hong Kong, che sono riusciti a debellare la corruzione con un'efficace combinazione di politiche: la creazione di forti autorità anticorruzione, la deregolamentazione e semplificazione amministrativa, un rafforzamento degli strumenti di repressione e una "gogna pubblica" per i corrotti.[36] C'è anche l'esempio della Georgia, che negli ultimi anni ha rapidamente scalato le classifiche di Transparency International, puntando soprattutto sulla de-burocratizzazione dell'economia. Molti degli autori che ho citato in questo capitolo sottolineano come la corruzione sia un fenomeno seriale e diffusivo: seriale perché chi ha peccato torna facilmente a peccare; diffusivo perché chi vive in un ambiente corrotto tende a essere corrotto. Se questo è vero, allora la vittoria può anche essere rapida perché non solo il male, ma anche la sua cura sono contagiosi e si possono estendere rapidamente. Sta a noi decidere in che direzione procedere.

3. Eccesso di burocrazia

Resta intatta la predilezione antica per le leggi tiranniche che sono molti lacciuoli che ad uno o a pochi sono utili.

GUIDO CARLI

Questo capitolo parla di burocrazia. E di burocrati. Esiste una piccola e una grande burocrazia. La piccola burocrazia è quella con cui ci scontriamo tutti i giorni: il modulo difficile da compilare, la coda all'Agenzia delle entrate, e così via. La grande burocrazia è invece la ragnatela di leggi, norme, regolamenti che avvolge l'Italia e che ostacola il buon funzionamento dell'economia italiana. Sono i "lacciuoli" di cui scriveva Guido Carli, nelle *Considerazioni finali* alla *Relazione della Banca d'Italia* del maggio 1973 facendo eco ai "lacciuoli" degli *Aforismi politici* di Tommaso Campanella.[1]

E poi ci sono i burocrati, quelli piccoli, gli impiegati dei ministeri romani, della regione, della provincia, del comune e degli enti pubblici, e quelli grandi, quelli che di fatto scrivono le leggi e le amministrano a livello più elevato. In teoria, i grandi burocrati dovrebbero seguire le direttive politiche che provengono dal governo. In pratica, godono di una notevole influenza e autonomia: chi tiene in mano la penna è spesso in grado di influire su quello che viene scritto, anche sotto dettatura.

In Italia c'è troppa burocrazia: vincoli formali, spesso più che sostanziali, ma che fanno perdere tantissimo tempo e riducono quindi l'efficienza economica. Inoltre, la burocrazia italiana è lenta. E poco trasparente. Non è spesso chiaro chi prenda le decisioni e in che modo. Oppure, talvolta, non è chiaro perché le decisioni che dovrebbero essere prese non vengono prese.

Non tutto, però, è da buttare via. Nel mio lavoro come Commissario per la revisione della spesa ho conosciuto molti dirigenti e impiegati pubblici del tutto dediti al loro lavoro e con una profonda conoscenza delle materie di cui si occupavano. Ma anche i migliori tra questi spesso trovavano difficile innovare, guardare le cose da un diverso punto di vista, prendere altri paesi come esempio, piuttosto che guardare al passato e ai passati (e falliti) tentativi di riforma.

Nonostante qualche progresso compiuto negli ultimi anni nel semplificare e ridurre il peso della burocrazia, ci troviamo sempre indietro rispetto agli altri paesi, anche perché questi stanno pure migliorando il funzionamento della loro macchina pubblica. Ma non disperiamo e, anche in questo caso, dopo aver analizzato il problema, vedremo di avanzare qualche proposta per risolverlo.

Quanto è estesa la burocrazia

Secondo la versione online dell'Enciclopedia Treccani, possiamo definire la burocrazia come "l'insieme di apparati e di persone al quale è affidata, a diversi livelli, l'amministrazione di uno Stato o anche di enti non statali". Messa così, saremmo portati a misurare le dimensioni della burocrazia guardando al numero dei burocrati. Ma sarebbe un po' limitativo. Parlerò dei burocrati nel prossimo paragrafo, ma partirei qui da un diverso punto di vista. Il grado di intensità burocratica di un paese può secondo me essere meglio misurato dal numero di leggi, regolamenti, procedure varie con cui il cittadino si deve scontrare, nonché dalla loro complessità. E qui non siamo messi bene.

Non si sa di preciso quante leggi siano attualmente in vigore in Italia. C'è chi, anche di recente, ha sostenuto che siano 150.000 o forse più. La stima che però mi sembra più affidabile è quella riportata da due stimati docenti di diritto amministrativo, Marcello Clarich e Bernardo Giorgio Mattarella: nel 2007 le leggi statali vigenti erano 21.691.[2] I due docenti indicavano anche che questo numero costituiva "il doppio o triplo rispetto a quello di altri paesi europei di dimensione paragonabile: le leggi vigenti in Francia sono meno di 10.000, quelle federali in Germania meno di 5000". Per la cronaca, nel Regno Unito le leggi in vigore sembrerebbero essere circa 3000.

Negli ultimi dieci anni, però, alcuni interventi "taglia-leggi" dovrebbero averle ridotte a poco più di 10.000.[3] La cifra resta comunque elevata: non è molto più alta di quella delle leggi francesi, ma in Francia il modello di stato è unitario, mentre noi abbiamo anche le leggi regionali. Clarich e Mattarella, infatti, notano anche che il dato sopra riportato si riferisce solo alle leggi statali, aggiungendo che quelle regionali erano circa 25.000 (e qui non credo ci sia stato alcun taglio negli ultimi anni): il primato nella produzione legislativa andava al piccolo Abruzzo, che da solo rappresentava circa il 10 per cento delle leggi regionali in vigore.

Viene però il dubbio che le eccessive leggi rappresentino l'eredità di un passato lontano. In effetti, Clarich e Mattarella notano come, in termini di produzione annuale di nuove leggi, il nostro parlamento non sembra essere allo stato attuale particolarmente attivo rispetto a quello francese o tedesco: nel biennio 2007-2008 le leggi approvate dal parlamento italiano sono state 132, meno della metà di quelle approvate in Germania, anche se il doppio di quelle approvate nel Regno Unito. I due docenti però notano che le nostre leggi sono molto più lunghe di quelle estere, il che è particolarmente vero "per le leggi finanziarie e i decreti-legge del Governo". In effetti, si fanno meno leggi che in passato, ma quelle che si fanno sono più lunghe. Un articolo di Michele Ainis pubblicato sul "Corriere della Sera" il 30 dicembre 2013 ci dice che: "Nel 1962 le 437 leggi decise in parlamento sviluppavano 2 milioni di caratteri: nel 2012 le leggi sono state 101, ma i caratteri sono diventati 2,6 milioni".

A voler esser pignoli, si potrebbe notare che le nostre leggi sono lunghe anche perché sono scritte senza pensare alla necessità di essere concisi e perché contengono talvolta "annunci" più che norme che comportano conseguenze per chi non le rispetta. E, come ci insegna Hans Kelsen, uno dei padri del costituzionalismo moderno, una norma che non ha sanzione non è una vera norma.[4] Insomma, ci sarebbe molto fumo ma poco arrosto. Che ci sia fumo nelle nostre leggi è abbastanza chiaro. Daniele Terlizzese, il direttore dell'Eief (Einaudi Institute for Economics and Finance), qualche anno fa ha provato a riscrivere, rendendola più corta e comprensibile, la legge di riforma dell'università riducendola da quasi 20.000 parole a circa 7000, senza alterarne il significato.

Che le nostre leggi siano scritte in modo poco conciso, poco leggibile e talvolta con qualche refuso, è noto a tutti. La complessità dei testi di legge riflette spesso anche la complessa organizzazione della burocrazia italiana, che richiede l'interazione tra un elevato numero di funzionari, ognuno dei quali vuole giocare un ruolo nel processo decisionale.[5]

Quindi le nostre leggi sono tante, lunghe e scritte male. E cambiano anche troppo rapidamente. Clarich e Mattarella ci ricordano che il codice dei contratti pubblici – un codice fondamentale per il funzionamento della pubblica amministrazione –, emanato nel 2006, è stato modificato sei volte nei tre anni successivi. Fra l'altro quel codice è stato poi sostituito da quello emanato nel 2016 (vedi cap. 2), in seguito già modificato un paio di volte.

Infine, c'è un problema di efficienza nell'amministrare le leggi e nell'applicare i regolamenti. La nostra pubblica amministrazione non è particolarmente nota per la sua efficienza, anche se qui risulta difficile stabilire quanto il problema sia dovuto alla complessità del sistema legale-regolamentare e quanto a carenze nell'organizzazione e nei metodi di lavoro, compresi incentivi inadeguati (torneremo su questo tema rispetto alle cause della lentezza della giustizia nel capitolo seguente).

Questa complessità del sistema legale, e le difficoltà nell'implementarlo, spiegano perché nelle classifiche internazionali relative alla facilità di svolgere attività imprenditoriali siamo piuttosto indietro. È questo forse l'indicatore migliore della complessità della nostra burocrazia. Il riferimento classico a questo proposito è la classifica del "Doing Business" (cioè dello svolgimento di attività imprenditoriali) pubblicata dalla Banca mondiale. Questa classifica è stilata guardando a moltissimi indicatori di quanto sia complessa l'interazione tra un'impresa e la burocrazia di un paese. Individualmente presi, questi indicatori sono spesso discutibili (e io stesso ne ho criticato in passato l'uso selettivo), ma nel loro complesso danno probabilmente un'idea abbastanza veritiera della situazione.

Cosa fa la Banca mondiale? Guarda, per ogni paese, a vari aspetti (attualmente dieci) della vita di un'impresa. La maggior parte di essi ha a che fare con l'interazione tra impresa e pubblica amministrazione. Si guarda, per esempio, al tempo che occorre per aprire un'impresa, per ottenere permessi di costruzione, per avere un allacciamento elettrico, per pagare delle tasse, per il recupero di un credito per via giudiziale e così via. Ogni aspetto è valutato sulla base di diversi indicatori che poi vengono riassunti in un unico indicatore di facilità nel condurre attività imprenditoriali.

In che punto si colloca l'Italia nella classifica di questo indicatore? Nella quindicesima edizione della classifica, pubblicata nell'ottobre del 2017 e che si riferisce alla situazione a giugno 2017, eravamo al 46mo posto su 190 paesi. Comparivano davanti a noi tutti gli altri paesi dei G7 e la maggior parte dei paesi dell'euro, tranne Belgio, Cipro, Lussemburgo, Grecia e Malta. Erano davanti a noi anche diversi paesi emergenti come la Georgia (nono posto), la Malesia (24mo posto) e la Tailandia (26mo posto). In compenso, eravamo davanti a tutti i paesi africani, tranne Mauritius (25mo posto) e Ruanda (41mo posto). Difformità nei criteri di rilevazione possono spiegare perché alcuni paesi emergenti o poveri si collochino davanti a noi nella classifica. Ma è più preoccupante il fatto che occupiamo gli ultimi posti quando ci confrontiamo con paesi avanzati per i quali i criteri di rilevazione dovrebbero essere simili. Siamo particolarmente indietro nella classifica rispetto a tempi, costi e complessità nell'ottenere permessi di costruzione (96mo posto), al tempo e al costo nel recuperare un credito (108mo posto; un aspetto che sarà ridiscusso nel prossimo capitolo sulla lentezza della giustizia) e, soprattutto, al numero di pagamenti e al tempo necessario per pagare le tasse (112mo posto).

Ma si registra almeno qualche miglioramento rispetto al passato? Qualche segnale c'è, anche se questo genere di confronti risulta difficile per due motivi. Prima di tutto, nel corso del tempo sono entrati nella rilevazione nuovi paesi. Conseguentemente occorre guardare non alla nostra posizione in classifica, ma in che parte della classifica siamo; in altre parole, non se siamo, per esempio, nei primi venticinque, ma se siamo nel miglior 25 per cento (come nel caso degli indici di percezione della corruzione). Secondo motivo, perché la metodologia è cambiata nel tempo. Detto questo, rispetto a cinque-sei anni fa si è registrato qualche progresso. Nella media del periodo 2010-2012, quando il numero dei paesi rilevati era di 183 – quindi comunque non troppo diverso da quello attuale – eravamo intorno al 45 percentile. Nella media del 2015 e del 2016 siamo al 25 percentile (anche se in parte per effetto di un cambiamento metodologico) e nel 2017 siamo al 21 percentile (con un miglioramento dal 50mo al 46mo posto). Ma fra i paesi avanzati siamo ancora tra gli ultimi.

Gli intralci che l'eccesso di norme e di controlli, implementati da una burocrazia lenta, creano per l'attività economica emerge anche da diverse statistiche raccolte a livello nazionale dal mitico Centro studi della Cgia (l'Associazione artigiani e piccole imprese) di Mestre, il centro che da anni segue, con grande efficacia mediatica, gli sviluppi della burocrazia italiana. Secondo uno studio pubblicato nel maggio 2017, una piccola azienda italiana può essere soggetta, almeno in teoria, a 111 controlli l'anno tra fiscali, amministrativi, di sicurezza, ecc. da parte di 15 diversi istituti, un numero di controlli che è aumentato di 14 unità rispetto al 2014.[6] Non ho controllato personalmente la correttezza della statistica, ma ho contattato il dipartimento della Funzione pubblica della presidenza del Consiglio per chiedere ragguagli. Purtroppo non sembrano esistere statistiche ufficiali in proposito, il che di per sé è problematico. La Cgia di Mestre ha anche concluso, in uno studio pubblicato sempre nel 2017, che un'impresa artigiana avrebbe affrontato in quell'anno 30 scadenze fiscali, un negozio commerciale con 5 dipendenti, 78 scadenze, e una piccola impresa con 50 dipendenti, 89 scadenze, quattro in più rispetto all'anno prima.[7]

Un sistema legale e regolamentare così complicato ha anche conseguenze collaterali in termini di contenzioso amministrativo. Francesco Giavazzi e Giorgio Barbieri (nel loro recente libro *I signori del tempo perso*, Longanesi, 2017) ci ricordano che ogni giorno ci sono 174 ricorsi al sistema di giustizia amministrativa (i celebri Tribunali amministrativi regionali o Tar, che giudicano sulle questioni che coinvolgono il rapporto tra il cittadino e la pubblica amministrazione), ossia circa 1200 alla settimana e 64.000 all'anno. Al vertice di questo sistema di giustizia amministrativa sta il potentissimo Consiglio di Stato, localizzato a Palazzo Spada a Roma, uno dei principali centri del potere burocratico in Italia. Spesso i Tar sono accusati di ogni possibile malefatta. Ma il problema a volte sta a monte, cioè nel modo in cui sono scritte le leggi e nella proliferazione di inutili divieti. I tribunali amministrativi si limitano spesso ad applicare norme inadeguate.

Il fatto è che il sistema è così complesso che problemi di interpretazione emergono a ogni piè sospinto. Le leggi italiane sono difficilmente intellegibili se non per i capi degli uffici legislativi dei vari ministeri e per pochi altri esperti di diritto amministrativo. Viene allora il dubbio che la complessità del linguaggio sia parte di un sistema volto a consolidare e mantenere nel tempo il potere dei burocrati stessi. Passiamo quindi al prossimo paragrafo, che si occupa appunto dei burocrati.

I burocrati

Come Commissario per la revisione della spesa ho lavorato per un anno a stretto contatto con i burocrati romani, con i capi di gabinetto, i capi degli uffici legislativi, e i vari direttori generali e direttori dei ministeri. A livello individuale ne ho trovati, come inevitabile, di simpatici e di antipatici, alcuni molto bravi e pronti a collaborare, altri meno. Ne ho trovato qualcuno un po' troppo pieno di sé, questo sì. Ma, dopo tutto, cosa ci si può aspettare se ti danno come ufficio una suite di 200 metri quadri, quattro segretarie e l'autista? Cosa ci si può aspettare se tutti sanno che, senza di te, la macchina dello stato non si muove perché sei l'unico che controlla dati e informazioni varie? È facile montarsi la testa se, trovandosi da dieci anni nella stessa posizione apicale, il ministro di turno dipende da te per capire quello che sta succedendo (nessuno può pensare che i nostri ministri possano conoscere tutto quanto sta scritto in una legge lunga decine di pagine, redatta nel linguaggio del diritto amministrativo, con riferimenti quasi continui a testi legislativi precedenti a loro volta di non facile comprensione). Non dico che la tendenza a "montarsi la testa" coinvolga tutti. Molti alti burocrati mantengono i piedi per terra. Dico solo che tutto quello che circonda i burocrati, quelli apicali in particolare, li rende esposti al rischio di soffrire di "manie di grandezza".

I grandi burocrati sono relativamente pochi. Alcuni traggono la loro forza dall'essere i soli che conoscono a fondo una certa materia perché sono da dieci-quindici anni nella stessa posizione: rimuoverli diventa difficile, ma potete capire che è difficile portare aria nuova se non li si rimuove. Altri traggono la propria forza invece proprio dalla capacità di adattarsi ai cambiamenti di ruolo. Giavazzi e Barbieri lodano il tentativo, compiuto da Renzi nella primavera del 2014, di portare aria nuova a Roma cambiando i capi di gabinetto di molti ministeri. Ero lì in quel periodo e vi posso dire che, in diversi casi, si è trattato solo di un "carosello di sedie". Le persone erano le stesse, cambiava solo l'incarico.

Giavazzi e Barbieri hanno però ragione su tante altre cose su cui si soffermano nel loro libro:

• Se è vero che i burocrati generano le regole, è anche vero che le regole generano i burocrati: "Vigili che verifichino che nel bagagliaio le catene da neve ci siano davvero e i salvagente sul barchino rispettino il D.M. 20.4.1978, vigili del fuoco che diano i permessi per la costruzione di locali pubblici e funzionari Consob che controllino i documenti che la banca fa firmare ai clienti, se mai lo fanno". Di recente ho ascoltato un imprenditore che produce pane industriale lamentarsi delle difficoltà nel dialogo con un funzionario che doveva definire se un certo tipo di pane ricadeva in quelli sottoposti all'aliquota Iva del 4 per cento oppure tra quelli su cui si applica l'aliquota del 10 per cento ("prodotti della panetteria fine"). Cosa sia il "pane" da un punto di vista burocratico non è infatti chiarissimo.[8]

• Il monopolio delle informazioni è il vero motivo del potere della burocrazia. Ne ho già parlato sopra. Quando ero Commissario alcune informazioni arrivavano, altre no, e le più interessanti erano soprattutto quelle di cui neppure conoscevo la disponibilità. Non credo si trattasse di cattiva volontà, anche se qualche dubbio mi è poi venuto.

• Giavazzi e Barbieri concludono che "difficilmente si può varare una nuova norma contro il parere della giustizia amministrativa". Concordo. Mi viene in mente come fu introdotto un cambiamento essenziale nel decreto del presidente del Consiglio che nel dicembre 2014 tagliò le auto blu. Avevo proposto che nessuna organizzazione pubblica con meno di 50 dipendenti avesse un'auto blu. Nella versione del decreto approvata, invece, si consentiva almeno un'auto blu a tutte le organizzazioni, anche quelle con meno di 50 dipendenti. Non sono mai riuscito a capire chi abbia apportato quella modifica. Quando l'ho chiesto, mi è stato detto che anche la versione originale del decreto prevedeva un'auto blu per tutti. Per fortuna conservo ancora l'originale tra le mie carte, come l'avevo scritto.

I costi della burocrazia

La burocrazia comporta almeno tre tipi di costi: quelli che sorgono per le imprese dalla necessità di compilare moduli e interagire direttamente con la pubblica amministrazione; quelli che derivano da ostacoli alla riforma della spesa pubblica o della tassazione; quelli che riducono l'efficienza dell'economia. Cominciamo dai primi.

L'unico dato ufficiale sul costo degli adempimenti burocratici è quello prodotto dall'Ufficio per la semplificazione amministrativa del dipartimento della Funzione pubblica della presidenza del Consiglio pubblicato nel 2013 e basato su uno studio condotto tra il 2008 e il 2012.[9] A parte l'ironia del fatto che il completamento dello studio abbia richiesto la creazione non solo di un'apposita task force che includeva rappresentanti di stato, Istat e associazioni imprenditoriali, ma anche di un apposito "comitato paritetico con la partecipazione di rappresentanti dello stato, regioni e autonomie locali" (cioè di tutti i livelli della burocrazia), i risultati sono interessanti. Si stimava che il costo degli adempimenti burocratici gravanti sulle sole piccole e medie imprese fosse di 31 miliardi (circa il 2 per cento del Pil), di cui quasi la metà riguardavano oneri relativi a lavoro e previdenza (inclusa la sicurezza sul lavoro) e il resto un insieme di oneri relativi all'edilizia, l'ambiente, il fisco, e vari altri settori, tra cui la tutela della privacy che da sola costava 2,6 miliardi. Si tratta di cifre molto elevate comparabili al costo della tassazione delle società (l'Ires) che ammonta a circa 30-35 miliardi. Da allora si sono introdotte alcune semplificazioni (per esempio, nel cosiddetto decreto "del fare" dell'agosto 2013), ma anche alcune complicazioni, per esempio la fornitura trimestrale delle informazioni sull'Iva, che, come già detto nel cap. 1, non è stata compensata da un sufficiente sfoltimento di altri adempimenti burocratici. Fra l'altro, un'indagine condotta dal Cer-Rete Imprese Italia ha concluso che, almeno nella percezione delle imprese, il numero di giornate spese per l'adempimento di oneri burocratici nel 2013 (circa 30 giorni l'anno) risultava solo di poco più basso di quello del 2009-2010 e ben più alto che nel periodo 2006-2008.[10] Si sarebbe però ridotto, almeno rispetto al picco del 2009-2011, il costo realtivo ai servizi di consulenza necessari per gli adempimenti amministrativi, anche se il calo è modesto rispetto al 2006-2007. In conclusione, i costi diretti della burocrazia erano alti nel periodo precedente il 2013, e non è chiaro se si siano ridotti di molto da allora, almeno sulla base della percezione delle imprese.[11]

Passiamo agli effetti diretti sulla spesa pubblica. Qui le quantificazioni diventano più difficoltose, ma che ci siano costi non c'è dubbio. È interesse dei burocrati mantenere in vita programmi di spesa perché è da quei programmi che traggono potere e, alcuni, anche una fonte di reddito addizionale. Ma lasciando pure stare possibili problemi di corruzione, resta il fatto che, se un dirigente gestisce, per esempio, un programma di sussidi a un certo gruppo di imprese, la soppressione di quel programma lo lascia, se non senza occupazione visto che non si licenzia quasi nessuno, quanto meno senza potere. Secondo me è per questo che risulta più facile definanziare un programma di spesa, piuttosto che abolirlo: anche se il programma ha meno finanziamenti, il potere che comporta non cambia, anzi forse aumenta; se lo si abolisce, il potere sparisce. Restano quindi in vita una miriade di piccoli programmi, che potrebbero essere eliminati, semplificando il sistema. Quantificare il costo a carico della finanza pubblica degli ostacoli posti dai burocrati all'eliminazione di programmi di spesa è praticamente impossibile, ma secondo me non è di certo trascurabile. C'è anche da considerare l'effetto diretto sulla spesa pubblica degli stipendi dei burocrati. Durante il mio lavoro di revisione della spesa avevo concluso che, tenendo conto delle differenze nel reddito pro capite tra i vari paesi, i nostri dirigenti pubblici sono pagati più dei loro equivalenti francesi, tedeschi o britannici. Questo non vale per tutti i settori (per esempio, non per scuola e sanità), ma vale per esempio per i ministeri. Avevo quindi proposto una riduzione degli stipendi dei dirigenti pubblici dell'ordine del 10 per cento, esclusi certi settori, con un risparmio a regime di mezzo miliardo. L'unico provvedimento adottato è stato introdurre un tetto di 240.000 euro, che però ha comportato un taglio dello stipendio soltanto a una trentina di persone (compreso il Commissario stesso, il cui stipendio lordo prima dell'introduzione del tetto era di 258.000 euro).

Passiamo infine a quelli che probabilmente sono i costi più elevati, quelli per il buon funzionamento dell'economia. Troppe regole, soprattutto se inappropriate, lo distorcono. Vi faccio un esempio che, pur non essendo relativo all'economia, illustra bene la natura del problema. Viaggiando su un'autostrada italiana a tre corsie vi sarà capitato di vedere la corsia più a sinistra intasata dal traffico, mentre la corsia centrale e, soprattutto, quella di destra più o meno libere. Ma sorpassare a destra non è consentito (con la precisazione riportata sotto). In realtà, il divieto di sorpasso a destra è inutile: sulle autostrade americane si può sorpassare sulla destra e ciò non crea alcun problema. In Italia esiste invece questa inutile regola e, per eliminarne gli effetti dannosi sul traffico, viene affiancata da una seconda regola: l'obbligo di occupare la corsia libera più a destra possibile. Questa seconda regola è però raramente rispettata. L'automobilista italiano medio si sente "umiliato" dal viaggiare sulle corsie riservate ai più lenti e tende quindi a occupare la corsia di centro o di sinistra anche se procede a velocità moderate. Così facendo, però, il traffico diventa meno scorrevole, perché invece di tre corsie si finisce per usarne solo due (centro e, soprattutto, sinistra). Cosa ci dice questa storia sul funzionamento di meccanismi di coordinamento attraverso regole? Ci dice che, certe volte, le regole possono essere inutili e, se non rispettate nel loro complesso, per quanto preciso possa essere il loro complicato disegno, per quanto il burocrate possa essere bravo nel disegnarle, possono diventare dannose. Il risultato è una perdita di efficienza: si finisce tutti sulla corsia di sinistra. Un'ultima precisazione: in realtà, se è vietato sorpassare a destra in autostrada (cioè cambiare corsia per superare una macchina che viaggia davanti), è invece consentito "passare" sulla destra: cioè se io sto sulla corsia di centro e mi trovo un'auto sulla sinistra che va più piano, posso accelerare per "passarla". Il che però non aiuta molto vista la sottile differenza tra il "passare" e il "sorpassare". È questo un altro esempio di regole problematiche: la sottile distinzione tra "sorpassare" e "passare" comporta un'ambiguità che rende le cose anche più complicate. E, nell'incertezza, la maggior parte dei guidatori resta comunque nella terza corsia, nonostante l'intasamento.[12]

Un eccesso di regole inutili e spesso ambigue (così da lasciare spazi di interpretazione al burocrate di turno) vincola anche l'economia italiana. Quali sono gli effetti sul Pil? Il già citato studio del Cer-Rete Imprese Italia stima che una riduzione del 25 per cento dei costi amministrativi dei processi burocratici per le piccole e medie imprese (quelli sopra stimati in 31 miliardi) porterebbe, dopo quattro anni, a un Pil più alto dell'1 per cento (con un impatto crescente col passar del tempo). Ma questo è solo l'effetto diretto della riduzione dei costi di produzione delle imprese, non quello che deriverebbe dalla riduzione delle regole (il poter sorpassare sulla destra nell'esempio precedente). L'effetto, quindi, potrebbe essere molto maggiore. È chiaro che un miglioramento nelle nostre classifiche del Doing Business avrebbe un impatto sugli investimenti, inclusi quelli dall'estero, e quindi sulla produttività del paese. L'indagine svolta dal Censis nel 2017 per conto dell'Associazione italiana delle banche estere indicava il carico normativo e burocratico come la terza causa economica, dopo carico fiscale e lentezza della giustizia, che scoraggia l'investimento estero in Italia.[13] Per quanto difficile da quantificare, l'effetto della burocrazia sull'economia italiana sembra quindi essere rilevante.

Perché c'è troppa burocrazia?

Quando ci lamentiamo dell'eccessiva burocrazia, ci lamentiamo di solito di due cose: l'esistenza di troppi adempimenti burocratici e di troppe regole; e la lentezza e l'incertezza con cui queste vengono implementate dai burocrati (da cui, per esempio, tempi di risposta troppo lunghi da parte della pubblica amministrazione). I due aspetti sono strettamente connessi (un'amministrazione è più lenta se le regole da rispettare sono tante), ma non sono del tutto equivalenti. Consideriamo prima la domanda sul perché ci sono troppe regole.

Un motivo è il ruolo preponderante che lo stato e le altre pubbliche amministrazioni svolgono nella nostra economia. Il desiderio di vedere coinvolto il settore pubblico in modo massiccio nelle attività economiche del paese, la tendenza a considerare lo stato come il soggetto che, in prima e non in ultima istanza, deve farsi carico dei problemi, comporta la necessità di avere più regole, e lascia meno spazio alle decisioni prese dal privato. Ma questa non può essere l'unica causa. Nei paesi nordici europei lo stato svolge un ruolo rilevante (in termini di spesa e tassazione rispetto al Pil), eppure questi paesi figurano ai primi posti nella classifica del Doing Business della Banca mondiale (nel 2017 la Danimarca era terza, la Norvegia ottava, la Svezia decima e la Finlandia tredicesima).

Il problema è che da noi un intervento molto esteso nell'economia si abbina a una cultura estremamente individualista e alla mancanza di capitale sociale, di cui abbiamo già parlato. L'individualismo e la mancanza di fiducia nel comportamento civile degli altri richiede allora una pletora di lacciuoli che, pur essendo spesso disattesi, richiedono però un enorme dispendio di energie nel tentativo di avere almeno un rispetto formale delle norme stesse. In effetti, la nostra cultura legale è molto focalizzata sul formalismo.[14] Giavazzi e Barbieri citano in proposito il parere del giurista Giustino Fortunato, secondo cui la legge del 1865 che forzò l'unificazione amministrativa d'Italia, estendendo a tutti le norme dello stato sabaudo, è all'origine di un modello di puro formalismo giuridico che ha sempre mal funzionato e i cui effetti si sono riprodotti decennio dopo decennio. Questo formalismo genera poi una casta "che sia depositaria del mito, che parli il linguaggio del rito, che presidii la validità dei feticci" (p. 16). L'aspetto culturale però non riguarda solo chi fa le leggi, ma anche chi vi è sottoposto. Non è infrequente il caso di imprese che, pur potendo procedere per via di autocertificazione, preferiscono comunque richiedere l'intervento delle autorità per sentirsi maggiormente tutelate.

Passiamo al secondo punto: la lentezza e l'incertezza con cui le regole vengono applicate. In parte questa è una conseguenza della pletora di norme. Più il sistema è complicato, più risulta difficile renderle esecutive. Ma entra in gioco anche un altro fattore. La frammentazione della pubblica amministrazione italiana, con una marea di enti a livello centrale e periferico che devono essere coinvolti, rende il processo decisionale molto complesso. Luisa Torchia, nell'introduzione al volume da lei curato *I nodi della pubblica amministrazione*,[15] parla di "conferenze senza fine" tra le varie componenti della pubblica amministrazione. La recente normativa inclusa nella riforma Madia si muove nella giusta direzione per semplificare i processi decisionali. Speriamo che poi in pratica dia i risultati sperati.

C'è anche una questione di incentivi. Rimandare le decisioni non ha conseguenze in un sistema di valutazione dei dirigenti pubblici che, finora, non ha comportato un'effettiva differenziazione. La stessa Corte dei Conti è focalizzata sul rispetto formale delle regole e non compie una valutazione in termini di efficienza del processo decisionale (anche su questo si veda Giavazzi e Barbieri, soprattutto p. 63).

Cosa si può fare

Tutte le cause dell'eccesso burocratico citate nel paragrafo precedente (eccesso di stato, cultura formalistica, frammentazione decisionale) richiederebbero un mutamento profondo nel modo di concepire il ruolo dello stato e l'interazione di questo con i suoi cittadini. C'è il rischio che interventi sporadici, quali quelli che hanno caratterizzato il passato, portino a cambiamenti solo apparenti o perlomeno temporanei. Per esempio, si è citato sopra il taglio del numero delle leggi operato dopo il 2007. Il taglio ha però riguardato migliaia di leggi precostituzionali che comunque non avevano un'effettiva applicazione, come notato anche dal citato saggio di Clarich e Mattarella, a p. 12. Inoltre, mentre si tagliavano queste leggi, si continuavano ad aggiungere norme che, come si è detto, se erano forse meno numerose di quelle passate, erano però anche più lunghe e complesse.

Anche se il rischio di interventi solo parziali esiste, non trascurerei comunque la possibilità di procedure con interventi da "buon padre di famiglia" quali quelli suggeriti da Clarich e Mattarella: legiferare solo quando serve (e, magari, introducendo delle "clausole tramonto" – *sunset clauses* – che prevedano la decadenza automatica di una certa norma entro una certa data), delegiferare quando si può, legiferare in modo ordinato con leggi chiare e non fatte in fretta, riordinare le leggi esistenti, rendere le leggi più accessibili. Tutte cose di buon senso cui aggiungerei anche una maggiore pubblicizzazione delle norme che sono già state eliminate e l'obbligo di autocertificazione, invece che la possibilità di autocertificazione per una serie di attività.

Ma la via maestra resta comunque quella di un cambiamento nel ruolo del settore pubblico nell'economia. Non è una posizione ideologica. In altre culture uno stato molto presente può funzionare benissimo, come nei paesi del Nord Europa. Ma l'accoppiata di uno stato onnipresente con una cultura individualista temo sia micidiale per molti dei peccati discussi in questo libro e, certamente, per la questione dell'eccesso burocratico. Occorre ridurre l'intervento dello stato nell'economia, responsabilizzando maggiormente gli individui: insomma, se gli italiani vogliono essere individualisti, che lo siano fino in fondo. Concordo quindi con le parole conclusive di Giavazzi e Barbieri: occorre puntare a una riforma della pubblica amministrazione basata non sulla triade "più leggi, più stato, più repressione", ma "più liberalizzazioni, più concorrenza, meno leggi e regole" (si vedano p. 20 e p. 165 del citato saggio). Solo così si può semplificare. Non c'è invece da sperare troppo nei miracoli della tecnologia informatica: informatizzare senza semplificare non serve a molto.

Credo anche sia necessario cambiare gli incentivi per chi opera nella pubblica amministrazione. L'idea della riforma della dirigenza inclusa nella riforma Madia, rendendo più facile la licenziabilità e legando meglio le retribuzioni alla performance, è del tutto valida. Ma la riforma è stata realizzata solo parzialmente, dopo l'intervento della Corte costituzionale che ne ha bocciato alcune parti perché era prevista solo la consultazione e non l'accordo con le regioni in un'area che era a competenza mista (a proposito di complicazioni...). La riforma comunque prevedeva solo il legame al rendimento della retribuzione dei dirigenti (ora lasciata alla contrattazione tra le parti), ma non di quella dei loro sottoposti (e come faccio, come dirigente, a migliorare l'efficienza del mio ufficio se non posso motivare i miei subordinati?). È anche essenziale, per superare le posizioni di potere che si creano all'interno della pubblica amministrazione, rendere obbligatoria – e non solo possibile – la rotazione dei dirigenti, come già sostenuto nel cap. 2. Detto questo, è anche qui una questione di cultura. Anche in passato si è cercato di introdurre maggiori elementi incentivanti nella retribuzione dei dirigenti pubblici, ma si è trattato di una riforma più formale che sostanziale. Occorre fare meglio.

Vorrei concludere con due precisazioni. Dire che lo stato deve ridurre la propria presenza nell'economia, non vuol dire il Far West economico. Un'economia di mercato deve essere regolata, per garantire la concorrenza, evitare la formazione di monopoli, consentire un livello minimo di tutela della qualità della vita ed evitare i "danni ambientali" che l'azione degli individui può causare (uso qui il termine "danni ambientali" in senso lato, riferendomi a tutte quelle conseguenze per l'economia che l'azione individuale comporta e che non vengono internalizzate dal sistema di prezzi). Ma quando le regole sono troppe, e quando lo stato è troppo presente nell'economia, le conseguenze sull'efficienza di quest'ultima possono essere pesanti, come nel caso dell'Italia. In altri termini, occorrono meno regole, ma buone. Cambiare tutto questo richiederà tempo. Seconda e ultima precisazione: le regole rimaste devono essere rispettate. Il problema dell'economia italiana è che, in quanto individualisti, siamo portati a non rispettare le regole, a comportarci seguendo il nostro interesse immediato, a "saltare la fila", per essere chiari. Il che crea enormi inefficienze. Il tema della costruzione di una cultura della legalità, della costruzione di un capitale sociale di cui siamo poco dotati, resta quindi fondamentale anche rispetto al peccato dell'eccesso di burocrazia.

4. Lentezza della giustizia

> La giurisdizione si attua mediante il giusto processo regolato dalla legge. Ogni processo si svolge nel contraddittorio tra le parti, in condizioni di parità, davanti a giudice terzo e imparziale. La legge ne assicura la ragionevole durata.
>
> Costituzione italiana (art. 111)

In origine, il tema trattato in questo capitolo doveva essere incluso nel capitolo precedente sulla burocrazia: in fondo, l'apparato giudiziario è parte dell'apparato burocratico dello stato. Mi sono, però, presto convinto della necessità di un trattamento separato. Sono gli stessi imprenditori che considerano la lentezza della giustizia come un problema a sé stante: secondo l'analisi del Censis del 2017 già citata nel capitolo precedente, la lentezza della giustizia è considerata la seconda causa economica della scarsità di investimenti esteri in Italia, un po' più importante del peso della burocrazia.[1] Secondo un'altra indagine, i problemi della giustizia si collocano addirittura al primo posto tra i deterrenti dell'investimento.[2] Il capitolo tratta solo di giustizia civile, seppure, come sappiamo, sia lenta anche quella penale.

Ma quanto è serio il problema rispetto agli altri paesi? E la giustizia civile è sempre stata così lenta? E, soprattutto, ci sono segnali di miglioramento, visti gli sforzi compiuti negli ultimi anni da diversi governi per migliorare le cose? E cos'altro si può fare?

Quanto è lenta la giustizia civile?

Diversi indicatori ci dicono che la nostra giustizia civile è diventata più lenta nel corso degli ultimi decenni, che oggi lo è molto più che all'estero e che solo di recente si è registrato qualche miglioramento. E, come per tanti dei problemi discussi in questo libro, la giustizia è più lenta al Sud rispetto al Nord, anche se ci sono eccezioni.

La performance della giustizia civile italiana, in termini di rapidità, può essere valutata considerando due fattori: il numero dei procedimenti pendenti e il tempo richiesto per portarli a compimento. Cominciamo dal numero dei procedimenti pendenti, per cui esistono lunghe serie storiche. Il problema sembra risalire alla metà degli anni settanta: nel 1975 i procedimenti pendenti nei tribunali italiani di primo e secondo grado erano poco più di 1.100.000, dieci anni dopo erano circa 1.500.000. Ma la vera esplosione si ha nei successivi dieci anni: tra il 1985 e il 1995 i procedimenti pendenti salgono da 1.500.000 a oltre 3.500.000.[3] Questa è la decade chiave. La stessa tendenza emerge se guardiamo al totale delle cause pendenti in tutte le sedi (e non solo nei tribunali di primo e secondo grado). Qui i numeri sono ancora più grandi: il picco, con 5.700.105 procedimenti pendenti, si raggiunge nel 2009.

Da allora le cose sono migliorate. Già nel 2010-2011 il numero di cause pendenti si riduce, per la prima volta in diversi decenni. Ma è col 2012 che la riduzione diventa più marcata. Il risultato è che alla fine del primo trimestre del 2017 il numero di cause pendenti in tutte le sedi si è ridotto a 3.761.613, un calo del 34 per cento rispetto a fine 2009: si è tornati al di sotto del livello del 2003.[4] La riduzione dei procedimenti pendenti risulta evidente anche per quelli che sono in attesa da molto tempo, i cosiddetti procedimenti "a rischio Pinto", cioè quelli per cui, per effetto della cosiddetta legge Pinto approvata nel marzo del 2001, le parti in causa potrebbero richiedere un risarcimento allo stato per la lunga attesa: tra il 2013 e il 2016, i procedimenti di durata ultratriennale giacenti in tribunale si sono ridotti da quasi 650.000 a 450.000 circa.

Non tutto però è andato per il meglio: mentre il numero dei procedimenti pendenti nei tribunali ordinari si riduceva, aumentava il numero di quelli pendenti presso la Corte di Cassazione (forse i procedimenti più delicati):

quelli "a rischio Pinto", cioè con giacenza ultrannuale, sono aumentati da 69.919 unità a fine 2013 a 77.813 unità al terzo trimestre del 2016.[5] Bisogna poi considerare un altro aspetto. La riduzione dei procedimenti pendenti è soprattutto dovuta al calo della domanda: si sono ridotti i nuovi procedimenti aperti, come vedremo, specialmente per l'aumento di costi, pecuniari e non, introdotto negli ultimi anni. Ma non è invece aumentata, anzi si è ridotta, la capacità di smaltire arretrati da parte dei tribunali: tra il 2014 e il 2016 il numero di procedimenti definiti per giudice è infatti calato di circa il 10 per cento (come illustrato a p. 147 della *Relazione della Banca d'Italia* del 31 maggio 2017): la produttività dei giudici si è ridotta.

Passiamo ora alle informazioni sulla durata dei procedimenti. Qui le cose si fanno più complicate, ma il quadro, in termini di miglioramento negli ultimi anni, è comunque molto meno roseo di quanto appaia da certe statistiche ufficiali.

Il ministero della Giustizia ha di recente sottolineato che si sarebbe verificata una forte riduzione nella durata dei processi civili. Le statistiche ufficiali ci dicono che la durata media dei processi civili è scesa da 620 giorni nel 2010 a 532 giorni nel 2014, un calo del 14 per cento. Successivamente si sarebbe registrata un'ulteriore riduzione del 23 per cento tra il 2014 e il 2016.[6] Allora, dov'è il problema? Be', ci sono diverse cose da chiarire in questi dati, cose che ci suggeriscono che la riduzione nei tempi della giustizia non sia così forte e che siamo comunque ancora indietro rispetto agli altri paesi.

Innanzitutto, i sopra citati dati di fonte ministero della Giustizia si riferiscono al primo grado di giudizio. Ma in Italia i gradi di giudizio sono tre (primo grado, appello, e Cassazione) e, se i tempi della giustizia sembrano essersi ridotti per i primi due gradi tra il 2010 e il 2014, i tempi si sono invece notevolmente allungati per il terzo (abbiamo visto sopra che anche il numero dei procedimenti pendenti in Cassazione è aumentato). Se sommiamo tutti e tre i gradi di giudizio, i tempi richiesti per raggiungere una sentenza definitiva in Italia appaiono ancora elevati: nel

2010, secondo stime pubblicate dall'Organizzazione per la cooperazione e lo sviluppo economico i procedimenti civili duravano, per i tre gradi di giudizio, 2866 giorni (sette anni e dieci mesi). Tenendo conto della riduzione nel tempo richiesto nel primo grado di giudizio (meno tre mesi) e in Corte d'appello (meno sette mesi), ma anche dell'aumento registrato per i giudizi in Cassazione (più sette mesi), nel 2014 la durata dei procedimenti che raggiungevano il terzo grado di livello potrebbe essersi ridotta di circa tre mesi e quindi essere ancora superiore a sette anni e mezzo. Si tratta ancora di tempi biblici (i "sette anni di vacche magre" per chi ha subito un torto).[7]

Il secondo problema è che, anche per il primo grado di giudizio, non tutte le statistiche pubblicate dal ministero della Giustizia indicano un chiaro miglioramento. In realtà, i dati citati finora sono stime della durata dei processi sulla base di formule standard usate per misurare quanto durerebbero in media i processi in corso in un determinato anno ipotizzando una certa velocità di smaltimento. I dati che invece misurano quanto effettivamente sono durati i processi terminati in un certo anno, dati disponibili solo per gli anni più recenti, indicano una riduzione della durata più contenuta: solo del 6 per cento tra il 2014 e il 2016, per il primo grado di giudizio.

Il terzo problema è che, in ogni caso, al 2014, i tempi della giustizia italiana erano comunque molto più lunghi che all'estero. I dati raccolti dal Cepej (la Commissione europea per l'efficienza della giustizia del Consiglio d'Europa) ci dicono che, a fronte di una durata media in Italia di 532 giorni per raggiungere il primo grado di giudizio, ne servivano in media 266 nel resto d'Europa. La Francia si collocava vicino alla media europea (279 giorni), mentre la Germania era molto al di sotto della media (184 giorni, due terzi in meno dell'Italia). La distanza rispetto agli altri paesi diventa ancora più ampia se si considerano tutti e tre i gradi di giudizio: secondo i dati Cepej, sempre al 2014, la durata media era di 2807 giorni in Italia, contro i 1250 in Francia e i 783 in Germania. Anche la Spagna fa meglio di noi (814 giorni). La posizione in classifica non è molto migliorata nel 2015, anno per cui il Cepej mette a disposizione numeri preliminari relativi al primo grado di giudizio: per l'Italia il miglioramento è solo di una decina di giorni.[8] Ma anche Francia e Germania migliorano. Quel che è peggio è che l'ultima in classifica nel 2014, Malta, può vantare un notevole miglioramento nel 2015, sicché in quell'anno noi ci troviamo addirittura ultimi in Europa.

Altri confronti internazionali sulla lunghezza dei processi civili provengono dal rapporto sul Doing Business della Banca mondiale, già citato nel capitolo precedente. E sono particolarmente interessanti perché si riferiscono al 2016, nonostante la loro parzialità (riguardano un singolo tribunale per ogni paese e uno specifico procedimento, cioè il recupero per via giudiziale di un credito commerciale, inclusivo sia dei tempi per ottenere un giudizio finale, sia del tempo necessario per la riscossione). Il tempo richiesto era nel 2016 di 1120 giorni in Italia, contro 499 in Germania, 437 nel Regno Unito e 395 in Francia. Tenendo conto di altri aspetti dell'efficienza del processo giudiziario (come i costi dei procedimenti), eravamo al 108mo posto nella classifica della Banca mondiale in termini di efficienza nel forzare l'esecuzione di contratti commerciali. Il Regno Unito era al 31mo posto, la Francia al 15mo, la Germania al 22mo. Anche questo indicatore migliora un po': l'analisi del Doing Business ci dice che nel 2012 occorrevano 1210 giorni per risolvere una controversia commerciale. Come abbiamo detto, nel 2016 ne servivano un po' meno: 1120 giorni con una riduzione del 7 per cento.[9]

In conclusione, negli ultimi anni si è registrato un certo miglioramento, soprattutto in termini di procedure pendenti, e un po' anche in termini di durata, miglioramento però meno marcato di quanto talvolta pubblicizzato – e che, in ogni caso, non ci evita di restare indietro rispetto agli altri paesi. Ad ogni modo, la forte riduzione dei procedimenti pendenti in primo grado di giudizio dovrebbe, col tempo, portare a una riduzione della durata dei processi. Forse occorre quindi solo un po' di pazienza prima di vedere qualche risultato più significativo.

Se la giustizia civile è lenta, di certo non lo è nella stessa misura in tutte le parti d'Italia. Nel periodo 2006-2012 la durata media dei procedimenti civili in Piemonte e Lombardia era di 744 giorni, contro i 1398 giorni in Campania e Calabria. Nel 2012 il numero di procedimenti civili pendenti per 100.000 abitanti era, sempre in Campania e Calabria, due volte e mezzo più elevato che nel Nord.[10] Questi dati però indicano che anche nelle regioni del Nord la durata dei procedimenti civili è più lenta della media della durata in Germania, Francia o Regno Unito.[11] Certo, non si deve generalizzare: anche all'interno della stessa regione geografica ci sono grosse differenze. Daniela Piana, nel suo libro *Uguale per tutti?*,[12] nota che, nella media calcolata sul periodo 2010-2014, un procedimento di diritto del lavoro veniva definito nel distretto di Milano in 280 giorni, contro, per esempio, i 1371 giorni del distretto di Bari. Ma all'interno del distretto di Milano si andava dai 220 giorni di Como ai 514 di Varese. Non generalizzare non vuol dire però negare che, in media, la giustizia funzioni molto più rapidamente al Nord che al Sud.

Le condanne in Europa

Prima di proseguire vorrei commentare un dato eclatante: il numero di condanne subite dall'Italia per l'eccessiva durata dei processi da parte della Corte europea dei diritti dell'uomo. Elevatissimo in passato, negli ultimi anni si è drasticamente ridotto. Tra il 1959 e il 2016 la Corte ha condannato l'Italia per violazione del diritto a un processo in tempo ragionevole 1190 volte contro le 282 volte della Francia, le 102 volte della Germania, le 16 volte della Spagna e le 8 volte dell'Olanda.[13] È il numero più elevato fra tutti i paesi, il doppio del numero di condanne per il paese secondo classificato, la Turchia. È però interessante osservare l'evoluzione nel tempo del numero di condanne. Tra il 1959 e il 1998 se ne registrano solo 84, ossia 2,1 all'anno in media. Poi, un'esplosione: tra il 1999 e il 2003 abbiamo ricevuto 893 condanne (quasi 180 all'anno). Ora, questa esplosione, che forse riflette in parte un crescente rallentamento della giustizia nel periodo precedente il 1999, ha comunque alla base un cambiamento nelle procedure che nel 1998 facilitò l'accesso ai ricorsi presso la Corte. Per porre freno alle condanne da parte della Corte di Strasburgo l'Italia approva una procedura interna di possibile risarcimento della durata dei processi, la già citata legge Pinto del 2001. Quest'ultima riduce effettivamente il ricorso alla Corte, anche perché esso è consentito solo dopo aver esperito le complesse procedure interne di ricorso previste dalla legge stessa. Il numero di condanne a Strasburgo resta però elevato anche dopo la sfuriata del 1999-2003. Tra il 2004 e il 2010 ci sono state inflitte comunque, in media, 23,1 condanne l'anno, contro 11,7 della Francia, altro grande paese con un numero elevato di condanne. Poi però miglioriamo: tra il 2011 e il 2013 le nostre condanne scendono a 16 all'anno e nel triennio 2014-2016 a una sola all'anno. Cos'è successo? La durata dei processi in Italia ha subìto una riduzione drastica? Non proprio. Sembra che alla base di questo crollo ci sia la volontà del ministero della Giustizia di evitare condanne mediante accordi amichevoli raggiunti con le parti coinvolte in processi di eccessiva durata. Insomma, meglio pagare che essere condannati in Europa. Fra l'altro, sembra che i risarcimenti derivanti dalla legge Pinto siano costati allo stato italiano diverse centinaia di milioni (c'è chi dice mezzo miliardo), che magari potevano essere impiegati per rendere i processi più rapidi.

Gli effetti economici

Che una giustizia lenta danneggi l'economia è abbastanza chiaro, basti ascoltare i pareri degli imprenditori della ricerca Censis citati all'inizio di questo capitolo. Una giustizia lenta mette a repentaglio la certezza del diritto. Se una delle parti nella stipula di un contratto decide di non rispettare i propri impegni, l'altra parte deve poter ricorrere alla magistratura. Ma se i tempi di risposta sono biblici, allora il valore di un contratto diventa incerto. Non è la parte inadempiente a temere di essere denunciata, ma è la parte danneggiata a sentirsi minacciata da un: "Mi faccia causa!". Non se ne abbia il Cavalier Berlusconi se prendo a esempio quello che disse ai giocatori del Milan in occasione di una loro deludente prestazione nel maggio 2016. Tra il serio e il faceto, Berlusconi li minacciò di smettere di pagar loro lo stipendio: "Io i soldi non ve li do. Dovrete farmi causa. Sapete quanto dura un processo civile in Italia? Otto anni...".[14] Forse ora dura un po' meno di otto anni, ma non molto meno se si arriva fino in Cassazione, e gli imprenditori hanno ben presente questo problema. La lentezza della giustizia crea incertezza, complica l'attività d'impresa e scoraggia l'investimento privato.

Il Fondo monetario internazionale elenca diversi specifici motivi per cui la lentezza della giustizia penalizza la crescita, citando diverse fonti internazionali per confermarne l'importanza.[15] Primo, gli investitori esteri preferiscono paesi dove la giustizia funziona meglio (e noi siamo un paese che attira pochi investimenti dall'estero, un terzo di quelli della media dell'area euro tra il 2005 e il 2011). Secondo, le imprese sono più piccole nei paesi con sistemi giudiziari che non funzionano (e in Italia abbiamo una sovrabbondanza di piccole imprese). Terzo, i paesi con sistemi giudiziari che funzionano bene sono anche paesi che innovano di più ed esportano tecnologie e prodotti più sofisticati. Infine, le banche prestano più facilmente in paesi dove il corso della giustizia è rapido.

La questione dell'effetto di una giustizia lenta sui prestiti bancari è particolarmente rilevante per l'Italia, dove negli ultimi anni ottenere credito è diventato sempre più difficile e dove le banche devono cercare di recuperare i prestiti andati in sofferenza a causa della crisi economica. Nel 2013, Pier Carlo Padoan, allora capo economista dell'Organizzazione per la cooperazione e lo sviluppo economico, sosteneva che "il costo del credito sale del 16 per cento se la durata dei processi è più alta. Ci sono 70 punti base in più nei paesi più inefficienti".[16] Riguardo all'accumulo di sofferenze bancarie, l'Associazione bancaria italiana ha stimato che il 40 per cento dell'aumento dei prestiti in sofferenza tra il 2008 e il 2014 sia dovuto alla lentezza della giustizia.[17]

Tutto sommato, quanto perde l'economia italiana per effetto della lentezza della giustizia? Mario Draghi, allora governatore della Banca d'Italia, il 31 maggio 2011 concluse che: "Nostre stime indicano che la perdita annua di prodotto attribuibile ai difetti della nostra giustizia civile potrebbe giungere a un punto percentuale".[18] Secondo il Fondo monetario internazionale,[19] se si dimezzasse la lunghezza dei processi, la probabilità di trovare lavoro aumenterebbe di circa l'8 per cento. Non sono cifre irrilevanti, ma secondo me sono ancora stime prudenti se si tiene conto dell'importanza che gli imprenditori sembrano dare ai problemi della giustizia.

Perché la giustizia è lenta

La lentezza con cui in Italia opera una pubblica amministrazione, come nel caso della giustizia, può essere dovuta a tre cause: troppo poche risorse rispetto a quelle che investono gli altri; un cattivo uso delle risorse impiegate; l'eccesso di domanda di un certo servizio pubblico da parte dei cittadini. Quale di queste cause spiega la lentezza della giustizia italiana?

Con qualche eccezione, gli esperti sembrano concordare sul fatto che non si tratti di un problema di risorse, per lo meno non in termini complessivi. Per la giustizia noi spendiamo quanto gli altri paesi con cui ci possiamo confrontare, in passato così come oggi. Fabio Bartolomeo e Magda Bianco, nel già citato lavoro preparato per il ministero della Giustizia e basato su dati del Cepej, ci dicono che nel 2014 l'Italia spendeva per la giustizia circa 8 miliardi, ossia lo 0,5 per cento del Pil, cioè quanto la Germania e la Spagna e più della Francia (0,4 per cento). Anche in termini di spesa pro capite siamo in linea con le aspettative, tenendo conto del nostro livello di reddito.[20] Siamo anche in linea con gli altri paesi per quanto riguarda la spesa per i tribunali (la spesa per la giustizia include anche il costo del ministero e dell'amministrazione penitenziaria): spendiamo 73 euro per abitante, contro una media europea di 68 euro. La diversità di risorse non spiega neppure le differenze nella velocità della giustizia che vediamo all'interno dell'Italia, almeno secondo Daniela Piana che, alle pp. 78-80 del già citato libro, confronta gli organici di tribunali nelle diverse regioni d'Italia.

Detto questo, alcune differenze con gli altri paesi esistono. Noi abbiamo più o meno lo stesso numero di giudici ogni 100.000 abitanti di Francia e Spagna, anche se meno della Germania. Ma li paghiamo di più, soprattutto rispetto al nostro reddito pro capite: il salario lordo in euro di un giudice di primo grado è circa 2,1 volte il reddito pro capite italiano; in Germania e in Francia il rapporto è di 1,25 (e i divari sono anche più elevati per i giudici più anziani).[21] Abbiamo forse meno personale amministrativo per giudice (è nota la scarsità di cancellieri in molti tribunali). Ma, tutto sommato, le risorse spese nel settore non sembrano poche.

C'è però chi dissente. Tra questi Pier Camillo Davigo che, nel suo libro *Il sistema della corruzione*, sostiene che "la magistratura è sistematicamente sotto organico" (p. 82), riportando il numero elevatissimo di provvedimenti che ogni giudice deve gestire. Il che è vero, ma solo perché il numero dei provvedimenti da gestire è molto elevato, molto più elevato che negli altri paesi. Il problema sta proprio lì: siamo molto più litigiosi che all'estero e lo siamo diventati sempre di più nel corso del tempo, anche se negli ultimi anni ci siamo un po' calmati rispetto al passato. Andiamo a guardare i dati sulla litigiosità.

Abbiamo visto che il numero di procedimenti pendenti ha cominciato ad accelerare rapidamente a partire dalla metà degli anni ottanta. È proprio in quel periodo che siamo diventati più litigiosi. Il quoziente di litigiosità, calcolato dall'Istat come rapporto tra numero di procedimenti civili sopravvenuti e popolazione (per 1000 abitanti), già in crescita negli anni settanta, è quasi raddoppiato nel giro di dieci anni, passando da 14,3 nel 1985 a 27,3 nel 1995, per poi stabilizzarsi su questi livelli, fino agli anni più recenti.[22] I dati del Cepej ci dicono che nel 2008 il nostro indice di litigiosità era il terzo più alto in Europa (dopo Belgio e Russia), essendo quasi il doppio di quello della Francia e quattro volte più alto che in Germania. Da allora, però, la situazione è migliorata. La nostra litigiosità si è ridotta, e nel 2014 eravamo al livello della Francia. Questo miglioramento spiega la riduzione dei procedimenti pendenti osservata negli ultimi anni. Restiamo però sempre tra i più litigiosi d'Europa, più di tutti i paesi nordici, più del Regno Unito, più della Germania e dell'Austria e anche più della Grecia e della Spagna.

Il maggiore grado di litigiosità potrebbe anche spiegare, almeno in parte, perché la giustizia è più lenta al Sud. Bartolomeo e Bianco (a p. 15 del citato lavoro) presentano i dati sulla litigiosità per aree geografiche: "Si va dai 6000 procedimenti civili ogni 100.000 abitanti di Locri ai 1500 di Ivrea, Sondrio, Lecco e Belluno". In generale, ovviamente con diverse eccezioni, il Sud appare molto più litigioso del Nord.

Cosa spiega l'aumento nella litigiosità nel corso degli anni ottanta? Purtroppo abbiamo a disposizione poche analisi del fenomeno, ma alcuni sospettano che sia colpa dei troppi avvocati. Il numero dei legali è esploso negli ultimi trent'anni: gli iscritti agli albi sono passati dai 48.000 nel 1985 a oltre 100.000 nel 2000, e hanno superato le 200.000 unità alla fine della scorsa decade (a fine 2015 erano circa 237.000). Grazie a questo aumento finiamo per avere un numero di avvocati molto più alto che all'estero: sempre alla fine della scorsa decade, ne avevamo 330 ogni 100.000 abitanti, quasi il triplo della media europea. E fra l'altro, i dati ci dicono che ci sono più avvocati per abitanti al Sud rispetto al Nord, come volevasi dimostrare.

Qui c'è però il solito problema dell'uovo e della gallina: è aumentato il numero degli avvocati perché siamo diventati più litigiosi, o l'aumento del numero degli avvocati in circolazione ha causato l'aumento dei procedimenti? A dire il vero, l'aumento nel numero degli avvocati sembra seguire di qualche anno l'aumento dell'indice di litigiosità: il numero di avvocati aumenta più rapidamente dopo il

1990, qualche anno dopo l'accelerazione del numero dei procedimenti aperti. Ma qualche studio più approfondito, utilizzando tecniche statistiche volte a identificare legami di causalità, ha concluso invece che sia stato proprio il numero di avvocati a causare la maggiore litigiosità italiana.[23]

Non vi stupirete se vi dico che i pareri di magistrati e avvocati differiscono su questo punto. Un noto magistrato italiano, al margine di una conferenza a Bellagio, un giorno mi disse che, secondo lui, l'unico modo per riformare la giustizia in Italia, per renderla più rapida ed efficiente, era di ridurre il numero degli avvocati imponendo un accesso limitato agli studi universitari in materie legali. Ci sarebbe voluto tempo, ma era l'unico modo sicuro. Non si riferiva tanto al possibile effetto diretto che il numero di avvocati poteva avere sulla durata dei procedimenti, ma, più in generale, al fatto che la loro lobby era tanto più potente quanti più erano gli iscritti all'albo, e che tale lobby non aveva interesse a riforme che rendessero la giustizia più efficiente e veloce.

A sentire gli avvocati, la responsabilità della lentezza della giustizia è invece prevalentemente da attribuire ai giudici, che lavorano poco ("decidono quando gli aggrada", "non hanno orari [perché possono apparire in tribunale alle 9.30 e sparire alle 12.30]" e si presentano alle prime udienze mostrando di "non conoscere il fascicolo").[24]

In ogni caso, non è soltanto una questione di numero di avvocati; contano anche gli incentivi, come già notava diversi anni fa Daniela Marchesi in uno dei primi lavori in cui si analizzava l'effetto economico della lentezza della giustizia civile.[25] Fino a qualche anno fa, prima della riforma introdotta dal Governo Monti, i compensi degli avvocati erano determinati dalle tariffe professionali che all'epoca dipendevano dal numero delle attività svolte, il che forse poteva incentivare l'allungamento dei procedimenti. Incentivi sbagliati potrebbero aver influito anche in un altro modo: i costi se si intendeva far causa, in termini di pagamenti allo stato per le procedure amministrative (per bolli e iscrizioni a ruolo), erano, fino al periodo più recente, abbastanza bassi: le entrate dello stato che derivavano da pagamenti legati a cause civili erano tra i più bassi in Europa.

All'inizio di questo paragrafo ho scritto che la maggiore lentezza della giustizia può essere dovuta a risorse insufficienti rispetto a quelle impiegate da altri paesi (ma non sembra essere il caso), a una maggiore litigiosità (e questo sembra essere il caso), e a un'inefficienza del modo in cui le risorse sono utilizzate. Su quest'ultimo punto sarò per il momento sintetico, perché il tema verrà trattato più da vicino nel paragrafo successivo. Qui mi limito a dire che la questione riguarda, in generale, l'inefficienza della nostra pubblica amministrazione rispetto a quella degli altri paesi. Fra l'altro, anche il fatto che la giustizia civile operi meglio al Nord rispetto che al Sud riflette un più generale fenomeno di minore efficienza della pubblica amministrazione nel Meridione.

Cosa si è fatto

Le misure adottate negli ultimi anni miravano proprio a influire sui fattori che abbiamo identificato come causa della lentezza della giustizia, prima di tutto l'eccesso di litigiosità.[26] Da un lato sono stati aumentati in modo significativo i contributi che i cittadini devono pagare per accedere alla giustizia. Dall'altro si sono introdotti strumenti alternativi alla risoluzione delle controversie, tra cui lo strumento della mediazione civile, varato nel 2010, il cui uso ha subìto un forte aumento (da una media di 86.000 casi l'anno nel triennio 2011-2013 a 187.000 casi nel triennio successivo) e quello della negoziazione assistita (accordo col quale le parti, assistite da uno o più avvocati, convengono di cooperare in buona fede e con lealtà per risolvere in via amichevole una controversia) introdotto a fine 2014. Infine, il Governo Monti ha eliminato il tariffario che legava i compensi degli avvocati al numero degli atti compiuti consentendo una pattuizione dell'onorario tra avvocato e cliente, il che potrebbe aver ridotto i comportamenti dilatori degli avvocati.

Sul lato dell'offerta, si sono compiuti diversi passi avanti. Si è deciso di chiudere i "tribunalini", con l'obiettivo di sfruttare al meglio i vantaggi di operare su una scala maggiore (quello che gli economisti chiamano "economie di scala"), ma anche con l'effetto indiretto di rendere un po' più difficoltoso l'accesso ai tribunali, riducendo la domanda.[27] Sono stati poi introdotti tribunali o sezioni specializzate per la gestione delle cause commerciali (che però trattano solo cause in materia societaria e di diritto industriale presso i tribunali delle imprese). È aumentata l'offerta di informazioni sull'efficienza della giustizia per consentire un miglior monitoraggio anche da parte dell'opinione pubblica, fra l'altro con l'apertura da parte del ministro Orlando di un Osservatorio per il monitoraggio degli effetti sull'economia delle riforme della giustizia. Infine, è stato introdotto il processo telematico consentendo la trasmissione degli atti relativi ai processi civili per via telematica e non cartacea: dal 2014 il processo telematico è diventato obbligatorio.

Insomma, qualcosa si è fatto e ci sono stati miglioramenti, soprattutto nel numero dei casi pendenti, in buona parte dovuti soprattutto all'aumento dei costi per accedere alla giustizia. Certo, siamo ancora indietro rispetto ai principali paesi europei, ma forse l'effetto di lungo periodo delle misure prese non è stato ancora osservato.

Cosa si può fare

Una questione importante riguarda l'organizzazione delle attività dei tribunali e, quindi, il modo con cui si sfruttano le risorse disponibili. Le marcate differenze che esistono nell'efficienza dei vari tribunali, anche all'interno della stessa regione, suggeriscono come si possa ancora migliorare anche senza cambiamenti legislativi ma semplicemente estendendo ai peggiori le pratiche di lavoro dei migliori. Ha fatto scuola, in proposito, l'azione di Mario Barbuto, presidente del Tribunale di Torino dal 2001, presidente della Corte d'appello della stessa città dal 2010 fino all'incarico di capo del dipartimento dell'Organizzazione giudiziaria del ministero della Giustizia avuto nel 2014. Barbuto ha introdotto diverse nuove pratiche lavorative a Torino (talvolta riassunte col termine "programma Strasburgo", in riferimento alla necessità di evitare condanne alla Corte europea dei diritti dell'uomo), che portarono a un rapido smaltimento dell'arretrato. Si tratta di azioni di buon senso, ma molto efficaci: procedere prima con le cause più vecchie, mappare le pendenze per conoscerne i contenuti, seguire percorsi standardizzati ove possibile. Anche "rimedi" banali, come etichettare con un colore diverso i procedimenti in arretrato, può aver avuto un impatto psicologico notevole, sottolineando l'importanza di concludere quei procedimenti in modo rapido. Insomma, un po' di addestramento per migliorare le pratiche manageriali potrebbe dare risultati importanti.[28]

Diversi osservatori, tra i primi Andrea Ichino, hanno notato che un'organizzazione sequenziale del lavoro dei giudici ne aumenterebbe la produttività: insomma, è meglio iniziare un procedimento, portarlo a termine (evitando di doversi rinfrescare la memoria dopo mesi o anni tra una fase e l'altra del procedimento) e poi iniziarne un altro, piuttosto che gestire in parallelo diversi procedimenti. E Daniela Piana, nel già citato libro, nota che, in effetti, "le sezioni lavoro [dei tribunali] che applicano una regola di gestione dei fascicoli di tipo sequenziale hanno una performance superiore a quelle dove viene adottata una regola esattamente contraria, la gestione in parallelo".[29]

Il problema però non è soltanto diffondere le informazioni sulle pratiche organizzative migliori, ma anche assicurare che chi ottiene risultati migliori sia premiato adeguatamente. E qui si passa a una questione più generale: come incentivare l'efficienza della pubblica amministrazione italiana, problema che va al di là della questione della giustizia. Come si è detto nel capitolo precedente, la riforma Madia prevedeva incentivi per i dirigenti pubblici, ma è stata diluita dalla Corte costituzionale. In ogni caso, gli incentivi non si estendevano a tutti i dipendenti pubblici, ma solo ai dirigenti, e comunque non ai magistrati che hanno un inquadramento giuridico diverso da quello dei dirigenti pubblici. Inoltre, fornire incentivi adeguati richiede anche una precisa misurazione della performance e di obiettivi da raggiungere sulla base di indicatori di performance. Insomma, il ministero dovrebbe definire per ogni tribunale degli obiettivi quantitativi di smaltimento degli arretrati e di riduzione dei tempi dei procedimenti: obiettivi realistici, ma precisi e monitorabili, traendone conseguenze in caso gli obiettivi siano mancati.

Occorre anche proseguire nella specializzazione dei tribunali: la creazione di tribunali delle imprese è stata utile, ma, come si è detto, riguarda essenzialmente il diritto societario e parte di quello industriale. C'è spazio per una ulteriore specializzazione.[30]

Almeno a parere delle organizzazioni internazionali (tra cui la Commissione europea), occorre agire ancora sul lato della domanda, riducendo ulteriormente la litigiosità, limitando in modo significativo le possibilità di appello e, soprattutto, il ricorso in Cassazione (abbiamo visto che in quest'ultima l'arretrato si sta ancora accumulando) e aumentando disincentivi per i procedimenti che sono iniziati per puri fini dilatori. Un'annotazione riguardo quest'ultimo aspetto. C'è da sperare di avviare un circolo virtuoso: se i tempi della giustizia si accorciano, il ricorso a procedimenti iniziati per puro fine dilatorio tenderà a calare, il che renderà più facile smaltire ulteriormente gli arretrati.

Un ultimo punto riguarda la semplificazione della legislazione italiana. Abbiamo già visto come tale semplificazione sia necessaria per ridurre il peso della burocrazia. È probabile che un sistema legislativo più semplice e chiaro – il nostro diritto fallimentare per esempio è troppo complesso, esperti internazionali lo hanno definito "barocco" – faciliterebbe anche l'amministrazione della giustizia, abbreviandone i tempi.

5. Crollo demografico

Meno siamo e meglio stiamo
E ne siamo fieri [...].
Siamo pochi ma ci diamo
Tutti quanti il tu.

Renzo Arbore

Se ne era già accorto Augusto: c'è da preoccuparsi se non si fanno abbastanza figli e la popolazione invecchia. Fu così che con la *Lex Iulia de maritandis ordinibus* del 18-17 a.C. (e successivamente con la *Lex Papia Poppaea*) introdusse vantaggi per chi si sposava e aveva figli e sanzioni per i coniugati senza prole e per i celibi (i cittadini maschi fra i 25 e i 60 anni e le cittadine femmine fra i 20 e i 50 anni). Tra le sanzioni erano compresi dei vincoli nella possibilità di ricevere eredità e, persino, di assistere a spettacoli pubblici, un po' come se oggi si impedisse a chi non ha figli di andare all'Olimpico a vedere Roma-Lazio.[1] Sembra che anche Cesare, preoccupato dal calo della popolazione dovuto alle guerre civili, avesse garantito sussidi a chi aveva molti figli. Forse tanto Cesare quanto Augusto erano stati lungimiranti, almeno se si prende per buona la tesi dell'autore francese Michel De Jaeghere che nel suo libro *Les derniers jours*[2] sostiene che l'Impero romano crollò per effetto del calo demografico che si registrò tra la fine del II secolo e la fine del IV secolo d.C., con una riduzione di un quarto della popolazione dell'Impero.

La popolazione italiana non è ancora in calo, per lo meno non nelle proporzioni sofferte dalla Roma imperiale. Ma sta invecchiando per effetto sia di un aumento dell'aspettativa di vita sia di un calo della natalità. Lo stes-

so accade in moltissimi altri paesi, ma in Italia l'invecchiamento è tra i più rapidi che si siano registrati nei paesi
avanzati. Come sempre, prima di esaminare le cause del
fenomeno, gli effetti economici e le possibili soluzioni,
diamo un'occhiata alle statistiche.

Un paese vecchio e che invecchia

In contrasto con qualche "peccato" tra quelli discussi
nei capitoli precedenti, almeno qui la dimensione del "peccato" è chiaramente documentata. Le statistiche demografiche italiane ed estere sono molto dettagliate e ci dicono
due cose fondamentali.

La prima riguarda il numero dei residenti in Italia. Negli ultimi cinquant'anni la popolazione italiana è aumentata poco, anzi più di recente ha cominciato a ridursi, nonostante l'aumento dell'immigrazione. Il tasso di crescita
della popolazione, che era stato un po' al di sopra del 3 per
cento ogni quinquennio fino alla metà degli anni settanta,
è poi crollato a poco più di zero durante gli anni ottanta e
novanta.[3] Eravamo 56 milioni e mezzo a fine 1980; vent'anni dopo eravamo ancora un po' al di sotto dei 57 milioni,
un aumento di mezzo milione in vent'anni, quasi niente.
Poi c'è stata una ripresa con tassi di crescita quinquennali
intorno al 2 per cento tra il 2000 e il 2010, essenzialmente
per via dell'immigrazione. Ma abbiamo poi rallentato di
nuovo negli ultimi anni e, per la prima volta nel dopoguerra, la popolazione italiana si è ridotta nel corso del 2015 e
del 2016 (di circa 200.000 unità nel biennio).[4] È iniziata la
decrescita.

La seconda cosa che ci dicono le statistiche riguarda
l'età media della popolazione italiana.[5] Partiamo da una
cinquantina d'anni fa. Nel 1970 l'età media degli italiani
era di 32,8 anni. Eravamo nel gruppo dei principali paesi
avanzati. Non eravamo tanto giovani quanto gli Stati Uniti
(28,3 anni), il più giovane tra i principali paesi, ma eravamo più giovani di tanti altri paesi del Nord Europa, come
la Germania (34,1 anni), il Regno Unito (34,2 anni) o la

Svezia (35,4 anni). Tra i nostri quasi perfetti coetanei c'era la Francia (32,5 anni).

Saltiamo in avanti di quarantacinque anni, al 2015, l'ultima data per cui ho dati comparabili dal sito delle Nazioni Unite. L'età media in Italia è salita a 46 anni (tredici anni in più). Abbiamo praticamente raggiunto la Germania (che è rimasta tra i più vecchi con 46,2 anni), come l'ha raggiunta (e superata) il Giappone (46,5 anni, il paese che è invecchiato di più in questi decenni). Tutti i paesi sono invecchiati, ma qualcuno è invecchiato molto meno: tra questi il Regno Unito e la Svezia che ora sono tra i paesi avanzati più giovani (con un'età media intorno a 40-41 anni). Gli Stati Uniti restano i più giovani (38 anni).

L'età media di un paese può aumentare per due motivi. Il primo è che si vive più a lungo, e questo, credo si possa concordare, è un bene. Nel 1970 l'aspettativa di vita a 60 anni era di 16,7 anni per gli uomini e di 20,2 anni per le donne; nel 2014 era di 23 anni per gli uomini e 26,8 anni per le donne. Normale quindi che ci siano più anziani di una volta. Il numero di persone che raggiungeranno età avanzate continuerà ad aumentare: i maschi nati oggi hanno un'aspettativa di vita di oltre 80 anni, le femmine di oltre 85 anni, un raddoppio rispetto all'inizio del secolo scorso.

A parità di altre condizioni, l'aumento dell'aspettativa di vita dovrebbe portare a un aumento della popolazione. Il fatto invece che la popolazione cresca poco o non cresca, nonostante il maggior numero di anziani, è dovuto al secondo fattore che ha influito sull'età media della popolazione: il crollo della natalità, crollo evidente in tutt'Italia, anche se più marcato nel Sud (vedi cap. 6).

Nel 1969 nacquero circa 950.000 bambini. Il tasso di natalità (numero di nati vivi ogni 1000 abitanti) era di quasi 18, più o meno il livello che era stato mantenuto per i precedenti vent'anni. Nel giro di un decennio, il tasso di natalità crolla, scendendo a poco più di 11 nel 1981. Questi dodici anni, dal 1969 al 1981, sono cruciali per il futuro demografico dell'Italia: insomma, i "figli dei fiori" decidono di fare molti meno figli dei loro genitori e dei fratelli più grandi. Da allora, non ci siamo più ripresi. Dopo il 1981 il tasso di natalità si riduce ancora, anche se non di molto, stabilizzandosi intorno al 9,5 (circa 550.000 nati all'anno). È anzi estremamente stabile su questi livelli, con pochissime oscillazioni da un anno all'altro, fino al 2010. Negli ultimi anni ha però ripreso a scendere: dal 9,5 del 2010 si è giunti al 7,8 del 2016, quando sono nati solo 476.000 bambini, la metà rispetto al 1969. Un tracollo.

Il numero dei nati è crollato negli anni settanta perché si è ridotto il numero di figli per donna di età fertile (il cosiddetto tasso di fertilità).[6] Nel 1969 il tasso di fertilità italiano era di 2,46 (cioè, in media, due figli e mezzo per donna). Dieci anni dopo si era ridotto a 1,73, quindi già al di sotto del livello richiesto (intorno a due) per mantenere costante la popolazione di un paese. È un fenomeno che ha coinvolto quasi tutti i paesi avanzati durante gli anni settanta: in Italia, Francia, Germania, Portogallo, e persino negli Stati Uniti il tasso di fertilità cade di 0,7-0,8 punti, insomma quasi un figlio in meno per donna. Si salvano però alcuni paesi nordici (Svezia, Gran Bretagna, Finlandia) dove il calo è solo di 0,2-0,3 unità e alcuni paesi del Sud Europa (Spagna e Grecia), dove la discesa è rimandata al decennio successivo. Il problema dell'Italia è però stato che il calo del tasso di fertilità (al contrario di Francia, Germania e Stati Uniti) è proseguito anche durante gli anni ottanta ed è quindi stato nel complesso più intenso che negli altri paesi. Il tasso di fertilità italiano si riduce di un altro 0,4 negli anni ottanta e ancora leggermente negli anni novanta, scendendo a 1,23, la metà del livello del 1969.

Il tasso di fertilità riprende a crescere nella prima decade del nuovo millennio, essenzialmente per effetto del maggior numero di donne immigrate, le quali si distinguono per un tasso di fertilità ben più elevato di quello delle donne italiane. Tutti gli immigrati, donne e uomini, sono solitamente più giovani: l'età media della popolazione straniera residente all'inizio del 2016 era di 34 anni, cioè di dodici anni più bassa di quella italiana. Inoltre, gli immigrati tendono a fare più figli: il tasso di fertilità delle donne straniere (un po' meno di 2,4) è quasi il doppio di quello delle donne italiane.[7] Entrambi i fattori riducono l'età media della popolazione italiana e sostengono il numero delle nascite. Ma anche così, il tasso di fertilità aumenta solo di due decimi tra il 1999 e il 2009.

Il tasso di fertilità è però tornato a scendere dopo il 2009, anche se non di tantissimo (uno 0,1), attestandosi al livello di 1,35 nel 2015. È questo il motivo per il nuovo calo delle nascite, sceso ora ai minimi storici, sotto il mezzo milione l'anno. Al calo delle nascite ha anche contribuito il calo nel numero di donne in età fertile, l'onda lunga della discesa nel tasso di natalità dei decenni precedenti.

Riassumiamo. Dietro al rallentamento nella crescita della popolazione italiana e, in parte, al suo invecchiamento c'è un crollo del tasso di fertilità negli anni settanta e ottanta, più forte di quello osservato nella maggior parte dei paesi avanzati. La riduzione del tasso di fertilità ha un impatto immediato sulle nascite e un effetto ritardato dovuto al minor numero di donne in età fertile, che scende nel tempo e i cui effetti sono però rilevanti nel lungo periodo. Queste tendenze sarebbero state ancora più forti in assenza di un movimento migratorio verso l'Italia.

Gli effetti sui conti pubblici

I cambiamenti demografici hanno un enorme impatto sulla società e non spetta a me valutarne tutte le implicazioni. Qui mi concentro su due effetti: quello sui conti pubblici, in questo paragrafo, e quello sul reddito italiano e sul suo tasso di crescita, nel paragrafo seguente.

L'aumento dell'aspettativa di vita, e quindi del numero degli anziani, combinato con la riduzione del numero di figli, quelli che in età adulta possono sostenere gli anziani, può avere un effetto devastante sui conti pubblici di un paese e sul tenore di vita degli anziani stessi. Questo fatto, in gran parte, non dipende dal particolare sistema pensionistico esistente in un paese. Il fatto che le giovani generazioni (i "figli") debbano produrre per alimentare le vecchie generazioni (i "genitori") è una costante nella storia dell'umanità, indipendentemente dalle modalità con cui il trasferimento di risorse si realizza (attraverso vincoli familiari, o attraverso un sistema pensionistico gestito dallo stato, o ancora, attraverso l'acquisizione di diritti sulle risorse prodotte derivante dall'accumulo di ricchezza). Questo trasferimento diventa però difficoltoso se il numero di figli si riduce e se i genitori vivono più a lungo. Un numero maggiore di genitori deve allora essere sostenuto da un numero minore di figli, il che è problematico.

Il potenziale squilibrio tra numero di anziani e numero di giovani (e il conseguente rischio di un più basso tenore di vita per gli anziani o di un maggiore onere per i giovani) può essere attenuato in due principali modi. Si può risparmiare di più nel corso della propria vita lavorativa, in modo da avere più risorse da vecchi. Per l'economia nel suo complesso ciò si tradurrà in un maggiore capitale disponibile per produrre reddito e questo può compensare il calo del numero dei lavoratori (i figli). Il secondo modo è di accettare il fatto che, se si vive di più, occorre anche lavorare più a lungo, e quindi ritardare l'età del pensionamento, sperando che, con l'aumento dell'aspettativa di vita, aumentino anche gli anni in cui è possibile lavorare senza eccessivo disagio e restando sufficientemente produttivi. Da qui le riforme delle pensioni che sono state necessarie in Italia a partire dalla metà degli anni novanta. Quindi, per favore, se non potete andare in pensione prima, non prendetevela con l'ex ministro Fornero, né con gli autori delle precedenti riforme pensionistiche. Casomai chiedetevi perché non avete fatto più figli quando eravate giovani.

Nonostante queste riforme, i conti pubblici italiani hanno risentito pesantemente dell'aumento del numero degli anziani. Il livello della spesa per pensioni è oggi tra i più alti al mondo: nel 1970 si attestava al 7,4 per cento del Pil mentre ora è intorno al 17 per cento del Pil. Questo aumento è dovuto in parte all'invecchiamento della popolazione (nel censimento del 1971 gli ultrasessantenni erano il 16,6 per cento della popolazione; in quello del 2011 erano il 27,1 per cento); in parte al fatto che molti dei pensionati attuali ricevono pensioni calcolate col metodo retributivo, metodo che era molto generoso, sicuramente più generoso di quello con cui si vedranno calcolate le pensioni le nuove generazioni (il metodo contributivo). Il che crea un serio problema di equità intergenerazionale. Fatto sta che la spesa per pensioni rappresenta ora circa il 36 per cento della spesa delle pubbliche amministrazioni (al netto degli interessi). Questo comprime tutte le altre forme di spesa, comprese quelle che sostengono la crescita economica.

Si potrebbe pensare che il minor numero di giovani porti almeno a una riduzione di altre spese pubbliche, quelle rivolte ai giovani. È vero, ma solo fino a un certo punto. Il risparmio principale riguarda la spesa per pubblica istruzione. Se si riduce il numero delle persone in età scolare, si dovrebbe anche ridurre il numero degli insegnanti, con un risparmio per la spesa pubblica. Questo è avvenuto anche in Italia, ma solo in parte perché il numero degli insegnanti non si è ridotto quanto quello degli studenti. Anzi. Nel 1970, tra asili, scuole elementari, medie e superiori, c'erano circa 10 milioni di studenti e circa 573.000 insegnanti. Nel 2013, c'erano circa 8,9 milioni di studenti e circa 778.000 insegnanti. Il numero degli studenti si è ridotto, mentre quello degli insegnanti è aumentato. Il numero di studenti per insegnante è quindi sceso da 17,3 nel 1970 a 11,5 nel 2014. Questo soprattutto per effetto di un consistente aumento nel numero degli insegnanti negli anni settanta, proprio nel periodo in cui si stava manifestando il calo delle nascite.

Si potrà discutere se un aumento nel numero di insegnanti (e, quindi, la probabile riduzione nel numero di studenti per classe) sia stato appropriato o no. L'Organizzazione per la cooperazione e lo sviluppo economico, nel suo rapporto sulla pubblica istruzione nel mondo, ha concluso che: "Classi più piccole sono spesso considerate appropriate perché consentono agli insegnanti di dedicarsi maggiormente alle esigenze individuali degli studenti e riducono il tempo necessario per risolvere conflitti nella classe. Eppure, anche se c'è un po' di evidenza che classi più piccole possono aiutare gruppi specifici di studenti, quali quelli che provengono da famiglie svantaggiate [...], nel complesso, c'è scarsa evidenza di un effetto della dimensione delle classi sul rendimento degli studenti".[8]

Secondo l'Organizzazione per la cooperazione e lo sviluppo economico, la dimensione delle nostre classi negli istituti pubblici attualmente è più bassa di quella dei principali paesi avanzati: in Italia, per l'educazione primaria siamo a 20 studenti per classe, contro una media di quasi 24 negli altri paesi; per quella secondaria siamo a 21, contro una media di quasi 27.[9] Tutto sommato non mi sembra che la decisione di aumentare il numero stabile degli insegnanti con la riforma battezzata "La Buona Scuola" fosse una priorità. Detto ciò, come ho sostenuto più volte, la nostra spesa per pubblica istruzione nel suo complesso non sembra eccessiva in termini di confronti internazionali, anche tenendo conto delle nostre minori possibilità di spesa dovute all'alto debito pubblico. Magari si può spendere meglio, ma sarà difficile spendere di meno. Magari si possono migliorare le infrastrutture scolastiche, invece di aumentare il numero di insegnanti: ma le infrastrutture non votano, gli insegnanti sì...

In conclusione, lo shock demografico è stato pesante per i conti pubblici. Vedo spazi di risparmio in termini di spesa pensionistica solo se fosse possibile ridurre le pensioni di chi, in passato, è andato in pensione con il metodo retributivo, e quindi con pensioni eccedenti i contributi pagati. Ma di questo ho già parlato nel cap. 13 del mio citato *La lista della spesa*.

Gli effetti sul Pil

Passiamo all'effetto dello shock demografico sul reddito prodotto in Italia, il Pil. Per definizione, il Pil è uguale al numero di persone occupate moltiplicato per il prodotto per occupato, cioè la produttività per occupato. Se ci sono 1000 persone al lavoro in un paese e ognuna produce beni per 1000 euro, il prodotto totale, il Pil, è di un milione di euro. Per cui, per capire come influiscono i cambiamenti demografici sul Pil, possiamo chiederci come questi influiscano sul numero di persone al lavoro e sulla produttività di chi lavora.

Cominciamo con il numero di persone al lavoro, che dipende da diversi fattori: se gli imprenditori non assumono perché non pensano di riuscire a vendere ci saranno meno occupati, se le tasse sul lavoro sono troppo alte magari la gente preferisce lavorare di meno, e così via. Ma il punto di partenza per capire quante persone potenzialmente possono lavorare è verificare quante persone sono in età lavorativa, che le agenzie statistiche considerano di solito compresa tra i 15 e i 64 anni. È da qui che passa l'effetto principale del calo demografico sul totale degli occupati. Se calano le nascite, dopo un po' cala anche il numero di persone in età lavorativa – a meno che non aumenti il numero degli immigrati.

L'effetto ritardato dell'onda demografica, temperata dall'immigrazione negli ultimi quindici anni, è evidente dai dati dei censimenti. Il censimento del 1971 ci diceva che i residenti in Italia tra i 15 e i 64 anni erano 34.800.000, con un aumento del 4,2 per cento rispetto a dieci anni prima. La crescita della forza lavoro si mantiene elevata durante gli anni settanta e ottanta (anzi accelera, perché diventano maturi i baby boomer degli anni sessanta), ma crolla negli anni novanta, quando i figli dei figli dei fiori (i nati negli anni settanta) raggiungono l'età lavorativa. Il censimento del 2001 ci dice che la forza lavoro è calata di 800.000 unità, ossia del 2 per cento rispetto a dieci anni prima. Poi riprende a crescere, anche se in misura modesta, nel decennio successivo, un aumento di poco più di mezzo milione, ossia dell'1 per cento in dieci anni. Ma è puramente l'effetto degli immigrati che aumentano in quel decennio da 1,3 milioni a 4 milioni, un vero boom. Gli immigrati di età compresa tra i 15 e i 64 anni aumentano di 2,1 milioni, per cui senza di loro la forza lavoro si sarebbe ridotta di 1,6 milioni, a una velocità doppia rispetto agli anni novanta.

Passiamo all'effetto del calo demografico sulla produttività di chi lavora. Qui le cose diventano meno ovvie. Una popolazione meno giovane sarà meno inventiva, meno motivata e quindi meno produttiva? Inoltre, si può pensare che se un lavoratore ha meno figli tenda a lavorare di meno, o a impegnarsi di meno sul lavoro, perché non deve preoccuparsi del futuro dei figli, che sia quindi meno produttivo?[10]

Fino a pochi anni fa, gli studi dell'effetto che cambiamenti demografici possono avere sul livello e sul tasso di crescita della produttività si occupavano soprattutto dei paesi in via di sviluppo. Negli ultimi anni, però, la minore crescita economica in diversi paesi avanzati ha stimolato varie analisi del legame tra demografia e produttività anche per questi paesi. Le analisi hanno solitamente portato alla conclusione che la produttività di chi lavora è molto influenzata dall'invecchiamento della popolazione.

Per esempio, uno studio econometrico pubblicato da tre economisti del Fondo monetario internazionale, Shekhar Aiyar, Christian Ebeke e Xiaobo Shao, a fine 2016, focalizzato sui paesi europei, conclude che un aumento di un punto percentuale della quota di lavoratori di età compresa tra i 55 e i 64 anni sul totale dei lavoratori è accompagnato da una riduzione della crescita della produttività annua per lavoratore almeno dello 0,25 per cento.[11] Ora, tra il 1971 e il 2011 la quota dei lavoratori in questa fascia di età è aumentata in Italia di 2,3 punti percentuali. Il che vuol dire (moltiplicando 2,3 per 0,25) che questo aumento avrebbe portato a una riduzione del tasso di crescita della produttività italiana di circa lo 0,6 per cento. Si tratta di un valore piuttosto elevato tenendo conto che il tasso di crescita della produttività media tra gli anni settanta e il primo decennio del nuovo millennio si è ridotto di circa tre punti percentuali. Quindi un quinto di questa discesa sarebbe puramente dovuto all'invecchiamento della popolazione. Il lavoro del Fondo monetario indica però che l'effetto dell'invecchiamento della popolazione sulla crescita della produttività potrebbe essere anche tre volte più grande di quello sopra riportato (il coefficiente stimato potrebbe essere di 0,7, non 0,25); se così fosse, il calo del tasso di crescita della produttività dei lavoratori italiani potrebbe essere per più della metà spiegato da fattori demografici.[12]

Una piccola parentesi: un lavoro che sto completando con Antonio Bassanetti studia l'effetto dell'immigrazione sulla produttività media. L'effetto è negativo perché gli immigrati sono spesso occupati in lavori a basso reddito e produttività (pensate alle badanti). Questa non è una critica all'immigrazione: gli immigrati producono Pil che non sarebbe prodotto altrimenti, ma l'aumento del loro numero nel corso degli ultimi quindici anni spiega in parte la bassa crescita della produttività in Italia.

Guardiamo avanti

L'Istat pubblica con una certa regolarità previsioni sugli andamenti demografici per i prossimi decenni, basate su determinate ipotesi. Nello scenario centrale delle previsioni pubblicate dall'Istat nel 2017[13] si assume una continuazione delle tendenze osservate in passato, con un basso tasso di fertilità, seppure in recupero rispetto agli ultimi anni (da 1,34 nel 2016 a 1,59 nel 2065) e una continuazione dell'immigrazione a un ritmo simile a quello osservato in passato. Cosa si prevede?

La popolazione residente è prevista in lieve decrescita nel prossimo decennio: da 60,7 milioni nel 2016 a 60,4 milioni nel 2025. Poi la discesa si farebbe più rapida: si passerebbe a 58,6 milioni nel 2045 e a 54 milioni nel 2065, 7 milioni in meno di oggi. L'Istat sottolinea l'incertezza di queste previsioni, ma facendo notare, tuttavia, che la probabilità che la popolazione italiana nel 2065 sia inferiore a quella attuale è del 93 per cento.

Saremo in meno e più vecchi: l'età media della popolazione passerà dagli attuali 44,7 a oltre 50 anni del 2065.[14] Questo nonostante l'aumento molto significativo degli stranieri in Italia: al ritmo di quasi 300.000 unità l'anno, le immigrazioni cumulate entro il 2065 ammonterebbero a circa 14 milioni. L'Istat stima anche che nel 2065, i residenti di origine straniera sarebbero circa un terzo. La maggiore natalità di questi residenti contribuirebbe al recupero del tasso di natalità ipotizzato nello scenario di base, recupero che però non basterebbe a evitare un calo della popolazione.

L'Istat non fa previsioni su come queste tendenze influirebbero sulla crescita economica e sui conti pubblici, ma alcuni punti sono chiari. La pressione sui conti pubblici derivante dall'invecchiamento della popolazione continuerebbe, visto che la quota delle persone sopra i 65 anni salirebbe dall'attuale 22 per cento al 34 per cento nei prossimi venticinque anni, per poi scendere solo leggermente nei successivi vent'anni. A questo invecchiamento si è in parte trovato rimedio, in termini di impatto sui conti pubblici, con le varie riforme pensionistiche introdotte negli ultimi vent'anni, che comportano un aumento dell'età di pensionamento. Le previsioni ufficiali sulla spesa pensionistica indicano che le riforme attuali riuscirebbero a contenere il rapporto tra spesa pensionistica e Pil, anzi addirittura a farlo scendere un po' dopo il 2045. Ma queste previsioni ipotizzano che il Pil cresca nei prossimi decenni molto più rapidamente che in passato per effetto di una maggiore partecipazione al mercato del lavoro, di un calo del tasso di disoccupazione e di un forte aumento della produttività, uno scenario non da escludere in caso di riforme massicce, ma che resta comunque piuttosto incerto. Inoltre, le previsioni ufficiali sull'andamento della spesa pensionistica sono basate sulle previsioni demografiche fatte dall'Istat cinque anni fa, previsioni che erano più rosee di quelle attuali. Infine, l'aumento del tasso di crescita della produttività sarebbe ostacolato proprio dal continuo invecchiamento della popolazione.

Non è una prospettiva particolarmente esaltante. Fra l'altro, non è affatto detto che le cose non possano andar peggio di quanto previsto nello scenario descritto precedentemente (che è quello "centrale" dell'Istat): secondo l'Istat, c'è una probabilità bassa (5 per cento), ma non irrilevante, che la popolazione possa addirittura scendere a 46 milioni nel 2065. Tutto sommato, credo che ci converrebbe cercare di far qualcosa per ripopolare e ringiovanire l'Italia. Visto che, direi, l'aumento dell'aspettativa di vita non è un fenomeno negativo, occorre cercare di aumentare il tasso di fertilità. Altri paesi ci sono riusciti, anche se non è poi così semplice. Ma per trovare la cura adatta occorre capire le cause del problema.

Le cause del calo del tasso di fertilità

Come abbiamo visto, il tasso di fertilità cominciò a scendere rapidamente nei primi anni settanta. Due fenomeni si svilupparono in quegli anni. Il primo, un rallentamento della crescita economica. Il tasso di crescita del reddito pro capite (al netto dell'inflazione), che fino al 1970 si era mantenuto su quelli che ora chiameremmo ritmi "cinesi", intorno al 6 per cento annuo, si dimezza nei tre anni seguenti e, per la prima volta nel dopoguerra, il reddito pro capite cala nel 1975. La crescita riprende successivamente, ma a tassi più moderati. Il secondo, una "rivoluzione culturale", che ha portato le donne a prolungare gli studi, a entrare più massicciamente nel mondo del lavoro, a sposarsi più tardi e ad avere figli in età più avanzata.

Quanto contano questi fattori? Il tasso di fertilità si è ridotto perché le prospettive economiche sono peggiorate o per fattori culturali? L'Istat, nel capitolo sulle "Trasformazioni demografiche e sociali" del suo rapporto annuale per il 2016,[15] mette in luce soprattutto l'importanza dei fattori culturali evidenziando, come indicatori del processo di trasformazione della società italiana, la legge sul divorzio del 1970, il nuovo diritto di famiglia del 1975 e la legge sull'aborto del 1978 (p. 59). L'Istat sottolinea anche che: "Lo straordinario incremento dell'istruzione femminile osservato a partire dagli anni Sessanta non ha precedenti per la velocità con cui si è realizzato. Peraltro, il tempo necessario al completamento degli studi è uno dei principali fattori di posticipo tanto nella nuzialità quanto delle nascite [...]".

Sono propenso a credere che questi fattori culturali abbiano prevalso su quelli economici, anche se questi ultimi non sono stati del tutto irrilevanti. È vero, da un lato, che il

rallentamento nella crescita economica precede leggermente il calo nel tasso di fertilità, il che suggerisce che ne
sia una causa: il reddito pro capite comincia a rallentare
tra il 1970 e il 1971 quando il tasso di fertilità era sì in discesa rispetto al picco della metà degli anni sessanta, ma
ancora sui livelli dell'inizio della decade (intorno a 2,4). Il
reddito pro capite continua però a crescere durante gli anni settanta a tassi del tutto rispettabili (quasi il 3 per cento
nella media del decennio). Insomma, il clima economico,
seppur non esaltante come quello dei favolosi anni sessanta (e cinquanta), non era tale da giustificare un crollo del
tasso di fertilità così vertiginoso come quello osservato in
Italia.

Il fatto che il rallentamento della crescita tra gli anni
sessanta e gli anni settanta non sia il fattore principale dietro il calo nel tasso di fertilità è anche confermato da altre
due osservazioni. La prima è che il fenomeno riguarda tutto il mondo occidentale, seppure in misura diversa, e viene
ritardato solo in paesi (Grecia e Spagna) che all'epoca erano meno aperti ai cambiamenti sociali, visto il regime dit-
tatoriale prevalente. La seconda è che la ben più massiccia
crisi economica dell'inizio di questa decade, con un calo di
oltre il 12 per cento nel livello del reddito pro capite tra il
2007 e il 2014, è stata accompagnata solo da una modesta
riduzione del tasso di fertilità: da 1,45 nel 2008-2010 a 1,36
nel 2014-2015. Un effetto della crescita economica sul tasso di fertilità esiste, ma sembra essere piuttosto ridotto.

C'è però da chiedersi perché l'impatto dei fattori culturali, che pure erano presenti anche in altri paesi (ricordate
il Sessantotto francese?), sia stato molto più forte in Italia.
Una spiegazione potrebbe essere che gli altri paesi erano
già più avanzati di noi in termini di emancipazione sociale. In altre parole, il declino del modello patriarcale di famiglia è stato più rapido in Italia perché quel modello da
noi era ancora prevalente, più che altrove. Tuttavia, il tasso di fertilità italiano non solo scende più rapidamente,
ma raggiunge un livello, intorno a 1,30-1,35, ben al di sotto di quello dei principali paesi avanzati e, in particolare,
di quello di paesi non certo caratterizzati da un ruolo pre-

ponderante del patriarcato (il tasso di fertilità è intorno a 1,8-2,0 in Francia, Regno Unito, Svezia e Stati Uniti, per esempio).

In parte questa differenza nel tasso di fertilità corrente è dovuta alla maggiore presenza in questi paesi di famiglie di immigrati. Da noi gli stranieri sono circa l'8 per cento, contro, per esempio, il 14 per cento della Svezia. Ma non si tratta solo di questo, poiché le donne svedesi – anche quelle non immigrate – hanno comunque un tasso di fertilità ben più alto di quello delle donne italiane. Questo suggerisce che altri fattori siano importanti. Andiamo allora a vedere più da vicino cosa è successo in Svezia.

Il caso svedese

Il caso svedese dimostra che le politiche volte ad aumentare la natalità possono essere efficaci, anche se sono piuttosto costose. Cosa è successo in Svezia? Il tasso di fertilità si è ridotto da 1,93 nel 1969 a 1,66 nel 1979, scendendo poi ulteriormente fino alla metà degli anni ottanta. Secondo alcuni, questo calo è dipeso in parte dal passaggio, nel 1971, a un sistema di tassazione individuale che, non cumulando il reddito di diversi membri della famiglia, non penalizzava le famiglie con più di un reddito, il che avrebbe indotto un maggior numero di donne al lavoro fuori casa. Qualunque fosse stato il motivo del calo del tasso di fertilità, il governo svedese all'inizio degli anni ottanta decise di adottare misure per contrastare il fenomeno. Venne rafforzata l'offerta di asili pubblici (sussidiati anche per chi aveva un reddito più elevato, seppure in modo minore) e, soprattutto, vennero ampliati i sussidi ai genitori che, dopo la nascita del figlio, dovevano temporaneamente smettere di lavorare. Il sussidio era proporzionato al livello del reddito, per cui si consentiva (per un periodo anche superiore all'anno) di mantenere un reddito vicino a quello lavorativo senza lavorare. Il che funzionò perfettamente: il tasso di fertilità risalì sopra a 2 all'inizio degli anni novanta. Poi, il tasso di fertilità tornò a calare negli anni novanta in concomitanza con i tagli alla spesa pubblica che furono necessari per far quadrare i conti nell'ambito di una crisi economica che aveva ridotto le entrate dello stato, tagli che colpirono anche i benefici per chi aveva figli. All'inizio della scorsa decade, proprio per ovviare al nuovo calo delle nascite, si è tornati a espandere i benefici per i genitori, in particolare con un abbassamento delle rette per gli asili anche per i percettori di un reddito elevato (è previsto un tetto per i pagamenti).

Il sistema ha funzionato e ora il tasso di fertilità in Svezia (tra 1,8 e 1,9) è uno dei più alti tra i paesi avanzati, nonostante il tasso di occupazione delle donne sia quasi uguale a quello degli uomini. È un sistema molto costoso, però. I benefici per i genitori sono una delle più importanti componenti del sistema di welfare svedese e vengono finanziati da entrate fiscali piuttosto elevate rispetto al Pil. Ma in Svezia le tasse le pagano tutti; il tasso di evasione fiscale è uno dei più bassi d'Europa: per l'Iva è intorno all'1 per cento, contro il 27-28 per cento dell'Italia, come abbiamo visto nel cap. 1.

Cosa si può fare

Il basso tasso di natalità è un problema perché, in assenza di una forte immigrazione, porta a un invecchiamento della popolazione più rapido di quello che deriverebbe semplicemente dall'aumento delle aspettative di vita; in più, riduce la crescita della forza lavoro, probabilmente riduce anche la produttività media dell'economia e contribuisce allo squilibrio del sistema pensionistico. Non c'è nulla di male ad avere una popolazione stazionaria nel tempo. Ma il tasso di fertilità attuale è ben al di sotto di quello che occorrerebbe per mantenere la popolazione stazionaria, come abbiamo visto.

L'immigrazione può risolvere in parte il problema, ma, come sappiamo, può generare tensioni sociali. Rinviando la discussione sull'immigrazione al paragrafo successivo, cerchiamo di capire come si potrebbe aumentare il tasso di fertilità.

Una cosa secondo me è chiara. Non si può sperare che, di per sé, il miglioramento della situazione economica del paese possa aumentare in modo sostanziale la propensione a fare figli. Voglio dire, la situazione economica senz'altro influisce sulle decisioni di maternità: difficile decidere di fare figli se si ha un lavoro precario o se si è disoccupati. Ma, come abbiamo visto, la caduta del reddito pro capite di oltre il 10 per cento in Italia nel corso degli ultimi dieci anni ha avuto un impatto limitato sulla natalità: i fattori macroeconomici non sembrano essere decisivi.

Cos'altro allora si potrebbe fare? Vediamo prima cosa si è fatto. Esiste, a favore delle famiglie con figli, un insieme di piccoli provvedimenti di natura spesso temporanea, poco coordinati tra di loro e poco incentivanti:

• Il bonus bebè introdotto nel 2015 e rinnovato nel 2017: 80 euro al mese, per un massimo di tre anni, ma solo per le famiglie a basso reddito. Fra l'altro, è stato annunciato a fine 2014 ed essendo applicabile ai nati dal gennaio 2015, non comportava certo un incentivo alla procreazione, almeno non per i primi beneficiari. Stesso problema di tempistica per il bonus bebè per il 2017, per il bonus nido di 1000 euro all'anno approvato a fine 2016 per i nati nel 2016, e per il premio alla nascita di 800 euro da dare alle future mamme al settimo mese di gravidanza, approvato a fine 2016 e valido dal 1° gennaio 2017.

• I voucher per gli asili nido di 600 euro al mese destinati alle mamme lavoratrici che tornano al lavoro, ma di durata solo semestrale.

• Il congedo parentale esteso dal Jobs Act, che però copre solo il 30 per cento del reddito dai 3 ai 6 anni del bambino.

• Varie altre misure, come assegni di maternità per madri naturali o adottive da parte di stato e comuni, il fondo di credito per nuovi nati, il congedo obbligatorio di due giorni per i papà, oltre che detrazioni per i figli dall'Irpef, misure che però sono presenti in tutti i paesi.

Insomma, si tratta, al meglio, di un sostegno a famiglie a basso reddito e di una miscellanea di altri piccoli interventi, spesso a tempo determinato, piuttosto che di una chiara strategia coordinata che possa portare a un cambiamento delle decisioni di maternità. C'è da stupirsi se non si sono registrati grandi effetti? Credo che l'impatto sia stato nullo e, se l'obiettivo era quello di aumentare il tasso di natalità, sono stati soldi buttati via.

Ci sono margini di miglioramento? È possibile adottare un approccio organico, percepito come duraturo, con un chiaro obiettivo e basato su un massiccio investimento nel futuro del paese, in modo che l'avere figli non comporti una penalizzazione per il reddito? Lo si potrebbe fare attraverso la spesa pubblica, seguendo il modello svedese, offrendo asili di alta qualità a basso prezzo e, soprattutto, non penalizzando economicamente chi lascia temporaneamente il lavoro. Un'altra soluzione potrebbe essere detassare chi ha figli, seguendo un modello più liberista: in fondo, il tasso di fertilità è elevato anche negli Stati Uniti, dove la spesa pubblica in sostegno della maternità non è molto sviluppata. Perché non lo si fa?

Essenzialmente perché, con un debito pubblico del 132 per cento del Pil, non ci sono risorse. Non è questione di regole europee. È che, al momento, non ce lo possiamo permettere. Temo sarebbe troppo difficile convincere i mercati finanziari che un aumento del nostro debito per finanziare un più alto tasso di fertilità ringiovanirebbe il paese e sarebbe ripagato da una maggiore crescita futura. I mercati finanziari non sono così lungimiranti.

Non resta quindi che avere pazienza. Il problema del basso tasso di fertilità è un problema di lungo termine e occorrerà impegnarsi nel lungo termine. Detto questo, dobbiamo tenere a mente quali sono le priorità. Se ci sono risorse disponibili, è meglio utilizzarle per favorire un aumento del tasso di fertilità (ma che siano provvedimenti permanenti e ben disegnati, non bonus improvvisati). Aumentare la spesa per pensioni piacerebbe a tutti, ma non può essere considerata una priorità al momento, al contrario di quanto quasi tutti i partiti politici stanno facendo in campagna elettorale, in previsione delle Politiche 2018. Ma i pensionati votano, i nuovi nati no. E il numero dei pensionati ormai eccede il numero dei ventenni e trentenni, i potenziali genitori.

Un post scriptum: non è solo una questione di soldi. Occorrerebbe adottare pratiche di lavoro più flessibili di quelle attuali. Se un genitore esce dall'ufficio alle 17 per prendersi cura dei figli, ed è disposto comunque a lavorare a casa la sera, dopo che i figli sono stati messi a dormire, non dovrebbe essere penalizzato, come invece spesso avviene. Ma questo è un problema di mentalità, più che di incentivi economici.

L'immigrazione

Nel 376 d.C. duecentomila Goti si presentarono ai confini dell'Impero romano, chiedendo di potersi insediare nelle terre dell'Impero. Lo chiesero coi buoni modi all'imperatore romano d'Oriente, Valente. Fuggivano dalla guerra, fuggivano dagli Unni. Erano, per usare un termine moderno, rifugiati politici. Valente li fece entrare, anche perché sperava in questo modo di acquisire braccia per le proprie legioni. Visto il calo della popolazione dell'Impero cui ho accennato all'inizio del capitolo, sembrava una buona idea. I Goti però furono vessati da funzionari romani corrotti e si ribellarono, prendendo le armi contro le truppe imperiali. Valente, convinto di una facile vittoria, li affrontò sul campo di Adrianopoli, senza attendere l'arrivo dei rinforzi che provenivano dall'Impero romano d'Occidente, guidati dal nipote Graziano. Era il 378 d.C. Fu una disfatta. I romani persero 30.000 uomini. Valente morì in battaglia. Il disastro di Adrianopoli viene visto come un punto di svolta nel declino dell'Impero romano. Venticinque anni dopo il *limes* d'Occidente fu definitivamente sfondato dalle orde barbariche.

I movimenti di popolazione, nella storia dell'umanità, sono spesso stati accompagnati da forti tensioni, per cui non dobbiamo meravigliarci per quello che sta accadendo ora in Europa. L'immigrazione, però, può portare anche grandi benefici. In fondo, gli Stati Uniti, il più potente paese del XX secolo e, almeno per ora, anche del XXI, sono un paese di immigrati, che dir ne voglia il presidente Trump.

In che misura l'immigrazione può contribuire a risolvere i problemi demografici dell'Italia? Rispondere non è facile. Ci si può chiedere cosa resterà della cultura italiana quando, come prevede l'Istat sulla base delle tendenze attuali, nel 2065 un terzo dei residenti in Italia saranno stranieri o stranieri che hanno preso la cittadinanza italiana. Ma ci si può anche chiedere che senso abbia preoccuparsi di questo quando la stessa popolazione italiana deriva probabilmente da un complicato mescolamento genetico iniziato diversi millenni fa.

Al momento, l'unica conclusione di cui mi sentirei sicuro è questa: che un ordinato e graduale afflusso di immigrati, che si integrino bene nella cultura italiana, che dobbiamo preservare, non possa che fare bene all'economia di questo paese. Abbiamo la necessità di rafforzare con nuove braccia le legioni economiche italiane, se non riusciamo ad aumentare il tasso di natalità.

Ma il processo non può avanzare nel modo disordinato che abbiamo sperimentato negli ultimi anni in cui le frontiere meridionali del nostro paese sono diventate praticamente inesistenti. Il flusso migratorio irregolare dal Nordafrica va fermato. Le misure adottate di recente si sono rivelate utili e hanno ridotto notevolmente il flusso. Ma il flusso irregolare continua e continuerà, se non si fa qualcosa, perché le potenzialità migratorie dell'Africa subsahariana sono praticamente illimitate, rispetto alla dimensione dell'Italia. L'unico approccio che conosco che abbia davvero funzionato nel frenare movimenti migratori irregolari via mare è quello australiano. Chi viene raccolto in mare non viene portato in Australia, ma trasferito in paesi vicini (Nauru, un piccolo stato del Pacifico, e Papua Nuova Guinea), dove viene tenuto in campi di raccolta in cambio di un pagamento da parte del governo australiano. Fino a poco tempo fa, chi poteva essere considerato come un rifugiato politico veniva poi fatto entrare in Australia, dopo lunghi controlli. Ora, anche questa possibilità di ingresso è stata abolita. Il punto è che, però, dopo l'introduzione di questa politica i flussi sono improvvisamente cessati, come pure le morti in mare. Una volta acquisito che l'accesso all'Australia diventava impossibile, il flusso di partenza verso l'Australia si è interrotto. Occorre però anche dire che la portata del fenomeno era molto più contenuta rispetto a quella degli arrivi in Italia dal Nordafrica: al massimo nel 2010 in Australia arrivarono 6500 persone, non 200.000. In ogni caso, una soluzione va trovata, con o senza l'aiuto dell'Europa.

6. Divario tra Nord e Sud

La parola Italia è una espressione geografica.

KLEMENS VON METTERNICH

Forse non vale neppure la pena di sottolineare ciò che dovrebbe essere ovvio, cioè che in un capitolo di poche pagine non si può discutere in modo adeguato un problema così complesso come quello del divario tra Nord e Sud del nostro paese, un problema che in Italia stiamo ereditando di generazione in generazione. Né voglio entrare nell'annosa questione storica della "colpa" di tale situazione. Si sa che c'è chi pensa che la responsabilità del minore sviluppo economico del Meridione rispetto al Settentrione sia da attribuire alle politiche poste in atto dallo stato sabaudo dopo l'unificazione. Come affermò Gaetano Salvemini nel 1902: "Finora lo Stato ha assorbito ricchezza nel Sud e l'ha investita nel Nord". C'è chi invece pensa che la responsabilità ricada proprio sul Sud, sulla sua incapacità di adeguarsi alle regole dell'economia moderna. Non spetta a me discutere di tali questioni, ma credo comunque che, qualunque sia l'origine del problema, l'annullamento del divario tra Nord e Sud debba interessare il paese nella sua interezza. È un problema comune, almeno per chi, come me, pensa che, alla fine, tenere insieme questa Italia convenga a tutti (del resto, ormai neppure la Lega Nord parla più di secessione).

Vista la complessità della questione, il capitolo tratterà solo alcuni aspetti e possibili soluzioni. Voglio però chiarire fin dall'inizio che non penso si possa risolvere il problema attraverso le politiche di trasferimento di risorse dal

Nord al Sud che hanno caratterizzato gli ultimi decenni. Occorre puntare su qualcos'altro. Il lettore mi scuserà anche se non approfondirò abbastanza le differenze che esistono all'interno delle macroregioni, riferendomi principalmente alle medie del Nord (anzi spesso del Centro-Nord) rispetto a quelle del Sud, anche se tali differenze sono rilevanti. Due altri chiarimenti prima di iniziare. Primo, in questo capitolo il termine "Sud" viene usato come inclusivo delle isole. Copre quindi otto regioni: Abruzzo, Basilicata, Calabria, Campania, Molise, Puglia, Sardegna e Sicilia. Secondo: salvo esplicita segnalazione di una fonte alternativa, i dati di questo capitolo sono tratti dai rapporti dello Svimez, l'associazione che da anni produce studi di altissima qualità sulle condizioni del Mezzogiorno.[1]

Il divario di reddito, produttività e occupazione

L'esistenza di un divario di reddito, produttività e occupazione tra il Sud e il resto del paese è cosa ben nota. Meno nota, perché difficile da ricostruire, è la storia di come questo divario si sia sviluppato dopo l'Unità d'Italia. Hanno pensato a colmare questa lacuna due docenti dell'Università di Catanzaro, Vittorio Daniele e Paolo Malanima, che hanno rielaborato le serie storiche del reddito pro capite delle regioni italiane a partire dal 1861.[2] Secondo tale ricostruzione, al momento dell'Unità d'Italia il reddito pro capite del Sud era simile a quello del Centro-Nord, e la situazione sarebbe rimasta più o meno invariata per i successivi vent'anni. Non tutti sono d'accordo sul fatto che al momento dell'unificazione il divario di reddito tra il Sud e il resto del paese fosse nullo o modesto.[3] Concordano invece tutti sul fatto che, a partire dall'ultimo decennio del XIX secolo, il reddito pro capite del Centro-Nord comincia ad accelerare decisamente per la progressiva industrializzazione dell'area, mentre quello del Meridione cresce molto più lentamente. Questa tendenza alla divaricazione del reddito si protrae fino all'inizio degli anni cinquanta del XX secolo, quando il reddito pro capite del Sud si riduce a meno della metà (il 47 per cento, secondo Daniele e Malanima) di quello del Centro-Nord.

Poi comincia il parziale recupero. Il reddito pro capite del Sud aumenta più rapidamente dopo il 1951 raggiungendo un massimo, rispetto a quello del Centro-Nord, del 67 per cento nel 1971. Può aver influito su questo recupero la forte migrazione dal Sud al Nord, la quale probabilmente coinvolgeva persone a più basso reddito, che si muovevano soprattutto dal settore agricolo del Sud. Come illustrato, per esempio, in un lavoro di Corrado Bonifazi,[4] il flusso migratorio netto dal Sud verso il resto del paese, iniziato nel corso degli anni cinquanta, raggiunge una punta massima di 250.000 unità all'inizio degli anni sessanta, mentre comincia a ridursi all'inizio degli anni settanta stabilizzandosi sulle 50.000 unità a partire dalla metà del decennio.

Il processo di convergenza però si interrompe, anzi si inverte, all'inizio degli anni settanta. Da allora, il reddito del Sud rispetto a quello del Centro-Nord ricomincia a decrescere ritornando intorno al 60 per cento alla fine degli anni ottanta. Da allora ha oscillato su questi livelli, anche un po' al di sotto, con un minimo nel 2014 intorno al 56 per cento: la crisi di questo decennio ha pesato molto di più al Sud che al Centro-Nord. L'unica buona notizia si ha nel 2015-2016, quando il Sud riprende a crescere più rapidamente del resto del paese.

Il differenziale di reddito al momento resta quindi elevato, intorno al 56-57 per cento. Si potrà dire che il divario non è così elevato se valutato in termini di potere d'acquisto. Si sa che il costo della vita è parecchio più basso al Sud rispetto al resto del paese: un reddito di pari ammontare in euro si traduce in un potere d'acquisto molto più forte al Sud che al Centro-Nord. In base alle stime esistenti delle differenze nei prezzi e dei tassi di inflazione,[5] si può concludere che il reddito pro capite del Sud sia circa il 70 per cento di quello del Centro-Nord in termini di potere d'acquisto.[6] Si tratta comunque di una differenza notevole.

Perché il reddito del Sud è più basso? Sia perché chi lavora al Sud è meno produttivo, sia perché al Sud lavorano meno persone rispetto alla popolazione. C'è un differenziale di produttività piuttosto forte: il prodotto per occupato nel 2016 era del 23 per cento più basso al Sud. Ma la differenza più grande è nei tassi di occupazione: al Centro-Nord, su 100 persone di età compresa tra i 20 e i 64 anni, 69 lavorano; al Sud solo 47. Quindi, al Sud, chi lavora produce meno e, soprattutto, lavorano meno persone, in parte perché meno persone cercano lavoro, in parte perché chi cerca lavoro non riesce a trovarlo: i dati Istat ci dicono che il tasso di disoccupazione nel 2015 era del 7,3 per cento nel Nord-Est, quasi un terzo di quello del Sud (intorno al 20 per cento).

Inevitabilmente, con simili divari di reddito, il numero di persone a rischio di povertà è molto più alto al Sud: nel 2015 riguardava il 34 per cento della popolazione, contro l'11 per cento del Centro-Nord.

Esistono differenze di reddito tra le regioni anche di altri paesi. Il già citato studio di Daniele e Malanima contiene però un grafico (a p. 10) che mostra come gli squilibri in Italia siano più profondi di quelli di molti altri paesi dell'area euro, anche se non dissimili da analoghi in Francia e Regno Unito. Quello che distingue l'Italia non è tanto la persistenza nel tempo delle diversità (anche nel Regno Unito tali diversità mostrano una durata centenaria), ma il fatto che le regioni più povere siano concentrate tutte al Sud, formando quindi una macroregione povera di dimensioni non comparabili con quella di altri paesi europei. Inoltre, le differenze tra Sud e resto d'Italia non sono limitate alla performance economica, ma riguardano un insieme di altri aspetti trattati nei paragrafi seguenti.

Il divario di performance della pubblica amministrazione

Il tema potrebbe occupare lo spazio di un intero capitolo o di un intero libro. Quasi tutti gli indici di efficienza della pubblica amministrazione segnalano che quest'ultima funziona molto peggio al Sud che al Centro-Nord. Ci sono eccezioni importanti ed è anche chiaro che, quando si parla di efficienza della pubblica amministrazione, pure il Centro Italia sembra essere piuttosto lontano dagli standard del Nord. Ma il Sud rimane chiaramente indietro, il che è piuttosto grave se si pensa che la pubblica amministrazione è regolata da norme di comportamento uguali per tutti: stessi orari di lavoro, stessi metodi organizzativi, stessi criteri per la gestione del personale. Eppure i risultati sono molto diversi.

Ne abbiamo già parlato in parte nei capitoli precedenti: non tutte le regioni d'Italia peccano nella stessa misura: l'evasione fiscale è più alta al Sud (per esempio, il grado di evasione dell'Iva è del 40 per cento al Sud, contro il 24-25 per cento al Centro-Nord), anche se questo potrebbe non dipendere dalla minore efficienza dei controlli a livello locale, ma da condizioni ambientali oggettivamente più difficili, per esempio, la maggiore abbondanza di piccole imprese al Sud; gli indici di corruzione sono più sfavorevoli al Sud, con tutte le regioni del Sud nella parte finale della già citata classifica della percezione della corruzione nelle regioni europee preparata dall'Università di Göteborg; e la giustizia è più lenta al Sud. Non potendo presentare tutta l'ulteriore evidenza disponibile, in questo paragrafo mi limiterò ad alcuni altri esempi partendo da un indicatore di carattere generale che ha attirato una certa attenzione.

Si tratta dello European Quality of Government Index (Eqi) finanziato dalla Commissione europea, indice della qualità delle istituzioni pubbliche che trovate descritto al sito di uno dei curatori del progetto[7]: nella classifica del 2013, quella più recente, tutte le regioni del Meridione sono classificate oltre il 200mo posto, su 236 regioni europee.

In realtà, l'indice considerato è per lo più basato su sondaggi relativi al livello di corruzione e solo in parte sulla qualità dei servizi ricevuti, sebbene i due fattori siano spesso correlati. Andiamo a vedere allora anche qualche indicatore più specifico. Cominciamo con i tempi con cui la pubblica amministrazione paga i propri fornitori. Una segnalazione del ministero dell'Economia e delle Finanze ci dice che nei primi nove mesi del 2016 i ritardi medi nel pagamento delle fatture da parte del settore pubblico erano di 13 giorni al Nord, 23 giorni al Centro e 54 giorni al Sud. È questa una struttura che ritroviamo spesso nel paese: il Nord fa meglio, il Sud fa peggio e il Centro è una via di mezzo. Come sempre non bisogna generalizzare: la Puglia (con ritardi di 8 giorni) era a livello del Nord, il Piemonte (con 43 giorni) faceva peggio di alcune regioni del Sud. Ma le medie per macroregioni sono piuttosto chiare.

Guardare ai tempi di pagamento della pubblica amministrazione è utile perché, per alcuni tipi di pagamento, esistono lunghe serie storiche mediante le quali si può verificare se l'efficienza è migliorata o meno per diverse macroregioni. I dati sui pagamenti per prodotti biomedici[8] indicano che negli ultimi anni la pubblica amministrazione paga più rapidamente (c'è stato uno sforzo particolare in quest'area a partire dal 2012), ma che il miglioramento è stato, in termini percentuali, più deciso al Nord e al Centro che al Sud: tra il 2001 e il 2017 (i dati sono disponibili per la prima parte dell'anno) i tempi di pagamento si sono ridotti del 52 per cento al Nord, del 61 per cento al Centro e del 23 per cento al Sud.

Passiamo ai ritardi nel completamento delle opere pubbliche: a fine 2015 le opere incompiute in Italia erano 838, di cui 784 di competenza regionale.[9] La media di opere incompiute di competenza regionale era di 18 per regione al Nord, di 29 per regione al Centro e di 66 per regione al Sud. Il record spettava alla Sicilia, con 113 opere incompiute. Qui non ci sono eccezioni: la migliore regione del Sud (la Basilicata) aveva un numero di opere incompiute più elevato della peggiore regione del Nord (il Veneto). Mettiamola in altri termini: delle 784 opere regionali incompiute, ben 487 stavano nelle 8 regioni del Sud (il 67 per cento), il 18 per cento nelle 8 regioni del Nord.

La malasanità: come riportato dal libro di Cantone e Caringella citato nel cap. 2, la Commissione parlamentare d'inchiesta sugli errori in campo sanitario che concluse i propri lavori a inizio 2013 individuò 570 casi di presunta malasanità; di questi, 313 – cioè il 55 per cento – erano al Sud. Le otto regioni del Nord rappresentavano solo il 26 per cento del totale. Si può pensare che sia un problema di dotazione, ma le risorse del sistema sanitario nazionale sono distribuite tra le regioni sulla base del numero dei residenti, corretto solo per le caratteristiche demografiche (essenzialmente l'età). Si tratta quindi di inefficienza e, forse, di problemi di prioritizzazione nella scelta dei servizi da offrire. Come racconto nel mio libro *La lista della spesa* (p. 161), nel 2013 la percentuale di parti cesarei rispetto al totale era superiore al 20 per cento in tutte le regioni del Sud (e anche del Centro, Toscana a parte), mentre era inferiore in tutte quelle del Nord, tranne la Liguria (l'Organizzazione mondiale della sanità ritiene che una percentuale di parti cesarei superiore al 15 per cento sia anomala, ma ci ho aggiunto un margine). Da allora le cose non sono cambiate molto: nel 2015 la percentuale di cesarei era del 60 per cento in Campania e di quasi il 50 in Puglia; era del 10 per cento nel Trentino-Alto Adige.

Che non sia principalmente un problema di risorse, si comprende anche da altri indicatori. In generale, il numero dei dipendenti pubblici è maggiore al Sud che al Nord, come ci dice il Conto annuale dei dipendenti della pubblica amministrazione preparato dalla Ragioneria generale dello stato. Prendiamo per esempio i dipendenti delle regioni (esclusa la sanità), quelli che fanno correre la macchina amministrativa delle regioni. Per le regioni a statuto ordinario i dipendenti erano, nel 2015, 49,9 per 100.000 abitanti al Nord, 77,4 al Centro e 98,5 al Sud. Il primato spettava alla Basilicata (229,5 dipendenti); è però una piccola regione e quindi può aver bisogno di un numero maggiore di dipendenti regionali (per esempio, perché comunque deve avere un consiglio regionale indipendentemente dalla dimensione); ma la Calabria aveva 138 dipendenti ogni 100.000 abitanti, la Campania 87,9, la Puglia 62,2. La migliore regione del Nord (la Lombardia) ne aveva 32,3. Questi dati non comprendono gli enti regionali. I dipendenti classificati dalla Ragioneria tra gli "altri enti regionali" erano, sempre a fine 2015, 8310. Di questi, 5639 appartenevano alla "mitica" Azienda Calabria Verde (i forestali della Sila).

Non posso terminare senza citare quella che era la mia passione come Commissario per la revisione della spesa: le auto blu. Nel 2014 al Nord ce n'erano 3,9 ogni 100.000 abitanti; al Centro 5,9; al Sud 11,8, il che vuol dire che la dotazione di auto blu per regione era nel Sud circa tre volte superiore a quella del Nord. Se omettiamo le piccole regioni, il primato andava alla Calabria (15 auto per 100.000 abitanti), tallonata dalla Sardegna (14,2) e dalla Sicilia (13,0).

Non bisogna però esagerare, nel senso che almeno in certi casi i peggiori risultati ottenuti in termini di servizi forniti alla cittadinanza potrebbero essere dovuti effettivamente non tanto alla minore efficienza della pubblica amministrazione al Sud, quanto a scarsità di risorse. Concludo quindi questo paragrafo riportando i risultati di uno dei pochi studi che cerca di misurare l'efficienza della pubblica amministrazione valutando la relazione tra input di risorse e output di servizi. Si tratta di uno studio di due economisti della Banca d'Italia, Raffaela Giordano e Pietro Tommasino,[10] che considera le risorse impiegate nelle diverse province italiane e l'output ottenuto con quelle risorse in cinque aree: sanità, pubblica istruzione, amministrazione della giustizia, assistenza all'infanzia e gestione dei rifiuti. La conclusione, riassunta nella tavola 2 del lavoro, è che il differenziale dell'efficienza della pubblica amministrazione tra il Sud e il Centro-Nord è di circa il 15 per cento, uno scarto rilevante.

Il divario nei saldi dei conti pubblici

Un altro aspetto essenziale del divario tra Centro-Nord e Sud in materia di finanza pubblica riguarda la distribuzione territoriale della spesa e delle entrate pubbliche. I conti pubblici del Centro-Nord sono stati negli ultimi decenni fondamentalmente in ordine, generando anzi un surplus; quelli del Sud hanno generato invece persistenti e ampi deficit. Questa situazione è in buona parte conseguenza del fatto che il reddito del Centro-Nord è molto più

alto di quello del Sud, il che, con una tassazione progressiva e una spesa distribuita uniformemente sul territorio nazionale, comporta un maggiore contributo delle aree più
ricche alla finanza pubblica. Ma è anche effetto delle politiche di sostegno al reddito mirate al Sud, compreso politiche
di eccessiva occupazione pubblica rispetto ai bisogni effetti-
vi.[11] La diversità nel contributo che le varie macroregioni
danno allo squilibrio complessivo dei conti pubblici italiani
è stata ricostruita da tre professori dell'Università di Trieste
(Luciano Mauro, Cesare Buiatti e Gaetano Carmeci) in due
lavori relativamente recenti.[12] Questi studi ci dicono che il
deficit primario del Sud (la differenza tra spese non per interessi effettuate al Sud e tasse pagate dal Sud) ha oscillato
tra il 20 e il 35 per cento del Pil del Sud tra il 1963 e il 1994
e tra il 15 e il 20 per cento nel periodo tra il 1995 e il 2009. Al
contrario, il Nord ha prevalentemente presentato un surplus dal 1963 (con un deficit in soli quattro anni tra il 1963 e
il 2009), mentre il Centro presenta risultati intermedi tra
quelli delle altre due macroregioni. Queste cifre comportano che, senza il contributo del Centro-Nord, il Sud avrebbe
avuto un debito pubblico rispetto al proprio Pil ben superiore a quello medio nazionale, mentre il Centro-Nord
avrebbe avuto un debito molto inferiore a quello che attualmente pesa sull'Italia. Come ho già sottolineato a p. 26 del
mio libro sul debito pubblico *Il macigno* (Feltrinelli, 2016),
questo squilibrio non può implicare che il debito debba essere ora ridistribuito per macroregioni, come qualcuno talvolta suggerisce, perché lo squilibrio tra entrate e uscite a
livello regionale era comunque conseguenza soprattutto di
politiche decise a livello nazionale. Ma tale squilibrio è comunque indice di una profonda differenza nel contributo
che le diverse regioni danno alla finanza pubblica e quindi
dei massicci trasferimenti di risorse dal Centro-Nord al Sud
che tali diversi contributi implicano.

Il divario di capitale sociale e di capitale umano

Differenze molto forti tra aree geografiche italiane si
osservano anche nelle dotazioni di capitale sociale e di ca-

pitale umano. E qui ci avviciniamo a quelli che possono essere considerati i fattori che spiegano, almeno in parte, i diversi risultati nelle prestazioni economiche e nel funzionamento delle amministrazioni pubbliche tra regioni.

Cominciamo dal capitale sociale. Abbiamo già incontrato questo concetto che è fondamentale per spiegare i "peccati" considerati da questo libro. Ora, diversi studi indicano che il capitale sociale è molto più basso al Sud che nelle altre regioni d'Italia. Su questo tema sono stati pubblicati diversi lavori, e tutti concordano sulla stessa conclusione. Riporto qui i risultati di uno studio coordinato da una docente dell'Università di Bologna, Cristina Brasili.[13] Lo studio misura il capitale sociale sulla base di indicatori riferiti prevalentemente alla frequenza di azioni che mostrano un interesse per gli altri (per esempio, le attività di volontariato). Per il 2009 (questi indicatori non cambiano molto nel tempo, per cui si può anche guardare a dati abbastanza vecchi), l'indice sintetico di capitale sociale è pari a 0,71 nella media delle regioni del Nord, a 0,59 nel Centro e a 0,30 nel Sud. In tutte le regioni del Sud, l'indice è più basso di quello della peggiore delle regioni del Nord (la Valle d'Aosta). La Sardegna però si avvicina abbastanza al Centro-Nord, con un indice (0,50) che è quasi il doppio di quello della media delle restanti regioni del Sud.

Ci sono anche importanti differenze in quello che possiamo chiamare il "capitale umano". Qui si guarda a fattori come il grado di educazione, l'attrattività degli atenei per gli studenti di altre regioni, il numero di laureati in materie scientifiche. Le differenze sono meno nette, ma comunque significative. L'indice sintetico del capitale umano (sempre al 2009) è dello 0,63 al Centro-Nord, mentre al Sud scende allo 0,51. Le differenze sono anche evidenti in un recente studio dell'Ocse, secondo il quale la percentuale di adulti con un basso grado di competenze linguistiche e matematiche è di oltre il 50 per cento nella media delle regioni del Sud, contro una media del 34 per cento nel Centro-Nord.[14]

Il divario demografico

C'è però un'area in cui c'è stata una convergenza, ma, paradossalmente, riguarda un aspetto negativo: il crollo demografico, più forte al Sud che al Centro-Nord, ha portato a tassi di fertilità attualmente abbastanza simili. Gli andamenti in corso potrebbero ora però creare un nuovo divario, a svantaggio del Sud. Storicamente il Sud è stato un serbatoio di manodopera per il Nord e per tanti altri paesi del mondo, come gli Stati Uniti, l'America Latina, la Germania. Questo serbatoio veniva alimentato da un tasso di fertilità che era molto elevato, più elevato che nelle altre regioni d'Italia. Nel 1952 il tasso di fertilità nel Sud era di 3,1 figli per donna, contro 1,7 nel Nord-Ovest, 2 nel Nord-Est e 1,9 nel Centro. A partire dalla metà degli anni cinquanta il differenziale a favore del Sud cominciava a ridursi: il tasso di fertilità scendeva su tutto il territorio nazionale, ma più rapidamente al Sud. La riduzione del differenziale è continuata quasi ininterrottamente nei successivi decenni. Nel 2005 il tasso di fertilità meridionale era sceso al livello medio nazionale. Da allora è rimasto al di sotto della media nazionale: nel 2015 era dell'1,29, contro l'1,41 al Nord-Ovest, l'1,42 al Nord-Est, l'1,33 al Centro. Non si tratta di grandi differenze. Inoltre, il minor tasso del Sud è spiegato dalla più bassa presenza di famiglie immigrate rispetto al Centro-Nord. Ma il cambiamento rispetto al ruolo tradizionalmente svolto dal Sud come serbatoio di manodopera è evidentissimo. Inoltre, la tendenza sembra continuare: il numero dei nati al Sud è in continuo calo, con un minimo storico raggiunto nel 2016 di soli 166.000 nati. Portando in avanti queste tendenze, l'Istat prevede, nel suo scenario demografico centrale già discusso nel cap. 5, che la popolazione del Sud scenda dall'attuale 34,3 per cento della popolazione italiana al 29,2 per cento entro il 2065. Per via del maggior numero di nati in passato, il Sud è ancora più giovane del Centro-Nord: l'età media al 2016 era di 43,1 anni, escluse le isole dove era di 43,8 anni, circa due anni in meno del resto dell'Italia. Ma l'Istat prevede che nei prossimi decenni il Sud invecchierà più rapidamente che il Centro-Nord, per via della minore natalità. Dal 2035 in poi il Sud dovrebbe diventare più vecchio del Centro-Nord.

C'è un ultimo aspetto demografico che vale la pena di commentare: al Sud si vive meno a lungo. Per gli uomini, la speranza di vita alla nascita è di 80,1 anni al Sud, un anno in meno che nel resto d'Italia. Per le donne è di 84,7 anni, sempre un anno in meno che al Centro-Nord.[15]

Gli effetti economici

Non credo sia necessario dilungarsi sugli effetti del divario tra Nord e Sud perché sono sotto gli occhi di tutti. Mi limiterò a un paio di semplici calcoli. Se il reddito pro capite del Sud fosse pari a quello del resto del paese, il reddito medio italiano sarebbe di circa 32.500 euro, contro i 27.500 attuali (al 2016). Sarebbe, cioè, del 18 per cento più alto, quindi vicino a quello della Francia (34.500 euro), seppure ancora abbastanza lontano da quello della Germania (quasi 38.800 euro).

Un reddito più elevato per il Sud comporterebbe anche maggiori entrate per lo stato e sarebbe un toccasana per i conti pubblici. Quantificare gli effetti è in questo caso piuttosto difficile. Un reddito medio pro capite più elevato del 18 per cento comporterebbe un Pil più alto del 18 per cento, e già di per sé questo ridurrebbe il debito pubblico dal 133 al 112 per cento del Pil. Ma l'effetto maggiore si avrebbe sul deficit pubblico (la differenza tra spese ed entrate). A parità di aliquote, un Pil più elevato del 18 per cento comporterebbe un aumento delle entrate tributarie più o meno della stessa entità. Se la spesa restasse costante in termini di euro, il rapporto della spesa rispetto al Pil e alle entrate si ridurrebbe. L'effetto sarebbe un miglioramento del saldo tra entrate e spese di 6-7 punti percentuali di Pil, una cifra enorme (ricordo che il deficit pubblico è stimato a circa il 2 per cento del Pil nel 2017), miglioramento ottenuto senza bisogno di aumentare le aliquote di tassazione o di tagliare la spesa pubblica. È irrealistico pensare che la spesa pubblica possa non crescere in presenza di un Pil più elevato del 18 per cento e di maggiori entrate, ma il calcolo dà l'idea del potenziale che un maggior reddito al Sud potrebbe avere per il risanamento dei nostri conti pubblici. In altri termini, il persistente enorme deficit dei conti pubblici del Sud, descritto nei paragrafi precedenti, sarebbe sanato con effetti critici per i conti pubblici dell'intero paese.

Possibili soluzioni

Mi sembra ovvio, sulla base dell'esperienza del passato e della situazione attuale, che non sia possibile pensare che il restringimento del divario tra Sud e Centro-Nord possa richiedere maggiori trasferimenti di risorse finanziarie da quest'ultimo. I trasferimenti, essenzialmente attraverso gli squilibri tra spesa e tassazione pubblica a livello regionale, sono stati e continuano a essere massicci. Uno dei riflessi di questi trasferimenti è il fatto che il divario per spese di consumi pro capite tra Centro-Nord e Sud sia molto meno accentuato del divario in termini di reddito. Come abbiamo visto, il prodotto pro capite al Sud è di circa il 56-57 per cento di quello del Centro-Nord, mentre il consumo pro capite del Sud è di circa il 66-67 per cento di quello del Nord. Il divario nei consumi è anche inferiore in termini di potere d'acquisto, dato il minor costo della vita nel Meridione. Cercare di accelerare lo sviluppo economico del Sud attraverso maggiori trasferimenti, oltre che probabilmente inutile, sarebbe anche politicamente impossibile vista l'entità dei trasferimenti attuali.

Si potrebbe cercare di migliorare la composizione della spesa pubblica al Sud, puntando magari su un aumento degli investimenti, che sono stati ridotti negli ultimi anni. È questa la linea da anni sostenuta dallo Svimez che nel suo rapporto del 2017 sull'economia del Mezzogiorno sostiene che "gli investimenti pubblici, rispetto ad altri tipi di politiche, come ad esempio quelle di riduzione delle tasse, mantengono una più elevata capacità di generare reddito rispetto all'entità dell'intervento iniziale" (p. 50 delle Anticipazioni dei principali andamenti economici e sociali dal rapporto Svimez 2017). La spesa per investimenti pubblici al Sud (come evidenziato dalla tavola 26 dello stesso rapporto) è effettivamente calata rapidamente negli ultimi anni (da 22 miliardi nel 2009 a 13 miliardi nel 2016). Ma la stessa spesa è stata ridotta in tutta Italia vista la necessità di contenere il deficit pubblico e, semmai, dovrebbe essere aumentata su tutto il territorio nazionale. Il Sud ha mantenuto la propria quota di investimenti pubblici che, intorno al 37 per cento nel 2016, in linea con la media del periodo 2000-2016, è comunque più elevata della quota della popolazione residente al Sud (34 per cento). C'è poi da chiedersi se sia ragionevole aumentare gli investimenti al Sud prima di aver risolto la questione della scarsa efficienza (se non peggio) nella gestione di tali investimenti. Sembrerebbe che altre soluzioni possano essere più promettenti.

Visto che viviamo in un'economia di mercato, sarebbe fondamentale rendere il Mezzogiorno un posto attraente per gli investimenti privati. È uno dei temi principali di questo libro, ripreso più nello specifico nel prossimo capitolo: come rendere il nostro paese più attraente per gli investitori privati. Se l'Italia ha un problema, il Sud ne ha uno molto più grande. Se prendiamo gli investimenti dall'estero, un articolo pubblicato sul "Financial Times" del 28 giugno 2017 (*North v South: Italy's Foreign Investment Gulf*) sottolineava che, tra il maggio 2009 e l'aprile del 2017, questi investimenti sono stati pari a 25,3 miliardi di euro nel Centro-Nord e di soli 4,7 miliardi nel Sud. Come si può rendere il Sud più attraente per gli investitori privati nazionali ed esteri?

Torno a sottolineare che rispondere in modo esaustivo a questa domanda richiederebbe uno spazio ben superiore a quello qui disponibile, e una capacità ben superiore a quella dello scrivente. Con questo *caveat* offrirò qualche spunto personale di riflessione. Prima di tutto, non credo sia una questione di agevolazioni fiscali, strada già tentata in passato e che non sembra aver dato risultati particolarmente validi. La stessa esperienza internazionale insegna che le agevolazioni fiscali hanno un effetto marginale sulle decisioni di investimento.[16] Ben più importante è la creazione di un clima favorevole all'investimento privato. Credo che a questo fine sarebbe utile agire su tre piani.

Il primo è quello di lasciare più spazio al normale funzionamento del mercato economico. Le imprese investono per fare profitti e gli investimenti si muovono verso le aree dove è possibile farne. Ciò richiede che i costi, compresi quelli salariali, rendano conveniente l'investimento. Al momento nel Sud esiste un problema di costo del lavoro che è più serio del pur rilevante problema che esiste a livello nazionale da quando siamo entrati nell'euro (come vedremo nel prossimo capitolo). Il tema è molto delicato ma deve essere affrontato. La produttività e il costo della vita sono più bassi al Sud che al Nord. Pagare un salario di 100 al Sud è meno conveniente che pagare un salario di 100 al Nord se il lavoro è meno produttivo al Sud che al Nord. Al tempo stesso, con un salario di 100 al Sud, il lavoratore acquista più cose che con lo stesso salario al Nord. Queste disparità spiegano perché, con un accordo raggiunto tra imprese e sindacati, si introdusse in Italia nel dopoguerra un sistema di parametrizzazione dei salari al costo della vita basato su diverse aree geografiche. Tale sistema, soprannominato con un termine derogatorio "delle gabbie salariali", venne abbandonato tra la fine degli anni sessanta e l'inizio dei settanta. Fa riflettere il fatto che è proprio da quella data che il processo di convergenza del reddito tra Nord e Sud che aveva caratterizzato gli anni cinquanta e sessanta si interrompe, anche se molte altre cause potrebbero aver influito su questa interruzione. Ma guardiamo avanti: restano importanti differenze nel costo della vita fra Nord e Sud, come abbiamo già discusso, ed è un fatto che i contratti nazionali finiscano quindi per comportare salari più elevati al Sud che al Nord in termini di potere d'acquisto, come sottolineato da un lavoro di Andrea Ichino, Tito Boeri ed Enrico Moretti dal titolo eloquente (*Divari territoriali e contrattazione: quando l'eguale diventa diseguale*).[17] Risolvere il problema non richiede di tornare alle gabbie salariali, che sono troppo rigide per definizione. Quello che serve è lasciare spazio alla contrattazione a livello locale, a livello di azienda, facendo in modo che le retribuzioni riflettano le condizioni locali e che, in particolare, siano legate alla produttività. L'Italia ha bisogno di una maggiore decentralizzazione dei contratti in generale, e al Sud in particolare.

Il secondo piano di azione riguarda la pubblica amministrazione. Abbiamo visto come diverse misure della performance della pubblica amministrazione segnalino un grado di efficienza molto più basso al Sud. Occorre un programma di efficientamento della pubblica amministrazione nel Mezzogiorno volto a migliorare i servizi forniti senza aumentare i costi che sono già elevati. Non c'è motivo per cui la pubblica amministrazione, che è soggetta alle stesse regole su tutto il territorio nazionale, debba essere meno efficiente al Sud rispetto al resto del paese. L'aumento dell'efficienza della pubblica amministrazione è però un elemento essenziale per migliorare la produttività del settore privato, come già abbiamo discusso nel cap. 3. Questo deve riguardare tutti i settori, ma particolare importanza deve essere attribuita al buon funzionamento del sistema della giustizia, alla lotta alla corruzione, alla lotta alla criminalità.

Il terzo piano di azione è quello forse più importante e riguarda il rafforzamento del capitale sociale e umano del Mezzogiorno. Come abbiamo visto, il capitale sociale nel nostro paese non è alto in generale, ma è particolarmente basso nel Mezzogiorno. Oltre a spiegare perché molti dei "peccati" considerati in questo libro (la corruzione, l'evasione fiscale) sono più marcati al Sud, il basso livello di capitale sociale contribuisce a spiegare fenomeni quali la criminalità organizzata e, in generale, il minor grado di legalità. È molto più rischioso e difficile investire in aree in cui il rispetto delle leggi è insufficiente e il grado di criminalità è elevato. Rafforzare il capitale sociale diventa quindi essenziale per risolvere i problemi del Mezzogiorno. Se si devono spendere maggiori risorse pubbliche, bisognerà farlo in questa direzione piuttosto che in quella di nuovi investimenti pubblici o facilitazioni fiscali. Occorre investire nelle persone, soprattutto rafforzando la pubblica istruzione, togliendo i ragazzi dalle strade, costruendo un pezzo alla volta una nuova coscienza civile. La debolezza del sistema educativo nel Mezzogiorno ha radici profonde: abbiamo visto come, almeno secondo alcuni studi, non esistesse un divario di reddito tra Centro-Nord e Sud al momento dell'unificazione del paese. Esisteva però già un divario educativo, che forse contribuì in modo decisivo alla minore crescita del Sud dopo il 1861. Vittorio Daniele e Paolo Malanima nel volume *Il divario Nord-Sud in Italia – 1861-2011* (Rubbettino, 2011) scrivono che: "Nel 1861 […] un elevato grado di alfabetizzazione caratterizzava le province al confine con le frontiere franco-svizzere. Da quest'area avanzata, l'analfabetismo cresceva procedendo verso il Sud […]. Nel Regno di Napoli […] l'analfabetismo imperava" (p. 25). Si potrebbe obiettare che migliorare il sistema educativo del Sud e rafforzare il capitale sociale richiederà tempo. Vero, perciò sarebbe stato opportuno intraprendere questa strada in modo deciso decenni fa. Ora è necessario recuperare il tempo perso o, per lo meno, evitare ulteriori ritardi.

7. Difficoltà a convivere con l'euro

Ora puoi scegliere tra vivere o morire.

http://www.beppegrillo.it/fuoridalleuro

Non lasciatevi ingannare dalla citazione. È provocatoria. Io credo che sia meglio vivere nell'euro, piuttosto che vivacchiare fuori. Certamente, dobbiamo cambiare per vivere bene nella moneta unica. Non l'abbiamo ancora fatto e questo spiega perché, dopo l'entrata nell'euro, il nostro reddito pro capite abbia cominciato a divergere da quello dei nostri partner europei. Questo capitolo torna infatti al punto da cui siamo partiti. L'Italia cresce poco e, soprattutto, molto meno degli altri paesi europei. Bella scoperta, si potrà dire, con tutti i "peccati" che abbiamo già elencato, non c'è da stupirci se cresciamo poco. Molti di quei peccati, però, non sono nuovi: l'evasione fiscale, la corruzione, la lentezza della burocrazia italiana, il divario Nord-Sud esistevano anche in passato e, per esempio, non avevano impedito una forte crescita nella seconda metà del XX secolo. Il calo demografico è un fenomeno più recente, che ha impattato sulla crescita del Pil fin dalla fine degli anni ottanta, ma non sulla crescita del Pil pro capite, che rimaneva comunque simile a quella degli altri paesi europei nell'ultima decade del secolo scorso. Le cose sono cambiate in modo più radicale proprio dalla fine di quella decade, quando, più o meno in corrispondenza con l'entrata nell'euro, il nostro reddito pro capite ha rallentato in modo marcato rispetto agli altri paesi europei, per poi cominciare a scendere a partire dalla crisi economica del 2008-2009. Sono passati quasi vent'anni da quando la dinamica del nostro reddito pro capite ha iniziato a discostarsi da quella del resto dell'Europa. Cosa è successo negli ultimi due decenni?

Credo che l'economia italiana non sia stata capace di, o non abbia voluto, adattarsi all'euro e alle nuove regole che derivavano dall'appartenenza al club europeo, regole prima ancora economiche, anche più importanti di quelle scritte nei trattati europei. È questo il peccato capitale determinante per spiegare la crisi degli ultimi vent'anni: l'incapacità di stare al passo con gli altri paesi europei una volta adottata la stessa moneta. Ma la via d'uscita non può essere la fuga dall'euro – come ho detto, sarebbe un po' come andare a giocare in serie B perché non si riesce a vincere in A. Per superare le difficoltà attuali occorre recuperare il tempo perso, soprattutto in termini di competitività e di produttività, il che è possibile anche restando nell'euro. Come vedremo, risolvere i problemi che abbiamo discusso nelle pagine precedenti (redimersi dagli altri peccati) può aiutarci proprio a raggiungere questo obiettivo.

I numeri della crisi

L'anomalia dell'andamento del reddito pro capite italiano negli ultimi vent'anni può essere apprezzata dal confronto sia con la stessa nostra storia economica, sia con l'esperienza degli altri paesi europei. Cominciamo dalla prima. Dall'Unità d'Italia, l'aumento del reddito pro capite (al netto dell'inflazione e, quindi, in termini di potere d'acquisto) ha attraversato quattro principali periodi:

• Il primo comprende i sessant'anni successivi all'unificazione, quando il reddito aumentò a un tasso di poco superiore al mezzo punto percentuale l'anno – non proprio un tasso di crescita esaltante (nello stesso periodo il reddito pro capite statunitense aumentò a un tasso annuo di quasi il 2 per cento), ma pur sempre positivo.

• Il secondo periodo è quello del ventennio fascista in cui si verificò un'accelerazione: tra il 1921 e il 1941 il tasso di crescita salì a un punto e mezzo all'anno.

• Saltando gli anni quaranta (il reddito pro capite crolla durante la Seconda guerra mondiale, per poi rimbalzare nell'immediato dopoguerra), il terzo periodo comprende la seconda metà del XX secolo: tra il 1949 e il 1998 il reddito pro capite aumenta a un tasso medio del 3,7 per cento, un vero boom, particolarmente forte nella prima parte di questo cinquantennio, ma anche nei dieci anni che terminano nel 1998 il reddito continua a crescere a tassi apprezzabili (1,5 per cento).

• Dopodiché, il tracollo: tra il 1998 e il 2016 (il "quasi" ventennio dell'euro) la crescita è nulla. Zero. Non c'era mai stato un ventennio nella storia dell'Italia unitaria (tranne quelli terminanti durante la Seconda guerra mondiale) in cui il reddito pro capite fosse rimasto stazionario.

Possiamo poi dividere l'ultimo periodo (quello seguente il 1998) in due parti: nella prima, fino al 2008, il reddito pro capite continua a salire ma a tassi più bassi che in passato. Nella seconda il reddito scende per effetto delle due crisi economiche, quella globale del 2008-2009 e quella dell'euro del 2011-2012. È solo negli ultimi tre anni che il reddito pro capite ha ricominciato a crescere, ma a tassi modesti. Ma abbiamo recuperato pochissimo: nel 2016 il reddito pro capite è ancora al livello del 1998. Quasi vent'anni persi.

I lettori forse si chiederanno se è legittimo considerare come omogeneo quest'ultimo periodo, quello dell'euro. In fondo, fino al 2007 il reddito ha continuato a crescere. Se però facciamo un confronto con gli altri paesi europei, ci accorgiamo che è già dalla fine degli anni novanta che emerge un serio problema di crescita.

Durante gli anni ottanta e novanta il reddito pro capite italiano cresce tanto quanto nel resto di quella che diventerà l'area euro, una crescita cumulata di circa il 40 per cento. Dal 1999 al 2007, prima della crisi continuiamo a crescere, ma gli altri crescono a una velocità doppia. Con la crisi economica globale del 2008-2009 il reddito pro capite europeo, dopo un periodo di sostanziale stasi, riprende a crescere rapidamente, mentre il nostro reddito cala, tra il picco del 2007 e il punto più basso raggiunto nel

2013, di oltre il 10 per cento. Anche negli ultimi tre anni restiamo ben al di sotto della crescita del resto dell'area euro. Il risultato è che, da quando siamo entrati nella moneta unica, il reddito dei nostri vicini è aumentato di oltre il 25 per cento, mentre noi ci troviamo fermi ancora ai livelli di vent'anni fa.

La competitività dei prodotti italiani

C'è una frase latina che recita: *post hoc, ergo proper hoc*. La frase ("dopo questo, quindi a causa di questo") viene spesso utilizzata per indicare l'errore che si commette nell'interpretare una sequenza temporale come una relazione di causa-effetto. Se io tutte le mattine esco di casa un po' prima del sorgere del sole, sarebbe sbagliato pensare che il sole sorga perché io esco di casa, no? Nel caso dell'entrata nella moneta unica, però, vari altri indicatori suggeriscono che il ventennio perso (in termini di reddito pro capite) sia in buona parte dovuto alla difficoltà della nostra economia a vivere nell'euro.

Per capire perché occorre ripassare un fondamentale concetto economico, quello di competitività. L'economia italiana è sempre stata basata, per lo meno nel secondo dopoguerra, su un forte settore manifatturiero – il secondo più grande in Europa, dopo quello tedesco – le cui esportazioni e la cui crescita trainavano il resto dell'economia.

Ora, un'impresa riesce a esportare se è competitiva. Cosa significa questo? Significa che l'impresa deve riuscire a produrre a costi almeno in linea con quelli dei propri concorrenti esteri. Se mi costa 10.000 euro produrre una moto che il mio concorrente tedesco produce a un costo di 8000 euro e rivende a 10.000, o io non vendo la moto oppure dovrò accettare lo stesso prezzo a cui vende il tedesco, ma il mio profitto sarà zero: spendo 10.000 per produrre, e incasso 10.000 alla vendita. Il tedesco, che produce a prezzi più bassi, guadagnerà invece 2000 euro (10.000 meno 8000). Ma se i miei profitti sono nulli, non avrò soldi, né tanto meno incentivi, per investire in nuovi impianti, e se non investo diventerò sempre meno competitivo rispetto all'impresa tedesca, che invece continuerà a investire. E alla fine dovrò chiudere.[1]

C'è però una via d'uscita per l'impresa italiana, o meglio c'era una via d'uscita quando esistevano ancora la lira e il marco tedesco. Supponiamo che l'imprenditore italiano sostenga in Italia i propri costi in lire (il costo sarà quindi 10.000 lire) e che quello tedesco sostenga i propri costi in marchi (il costo sarà quindi 8000 marchi). Supponiamo anche che sui mercati dei cambi un marco tedesco valga 1,25 lire e che la moto sui mercati internazionali sia quotata in marchi tedeschi, a 10.000 marchi tedeschi. A questo punto, l'esportatore tedesco quando vende la moto avrà un profitto di 2000 marchi (sempre 10.000 meno 8000, come nell'esempio precedente). L'imprenditore italiano vende a 10.000 marchi e poi li trasforma in lire ricavando 12.500 lire. Il suo profitto è di 2500 lire (12.500 meno 10.000). Ma 2500 lire sono equivalenti a 2000 marchi (2500 diviso 1,25 fa 2000). Il profitto è lo stesso sia in Italia che in Germania. Questo è più o meno quello che succede tra due paesi che non condividono la stessa moneta: il tasso di cambio tra i due paesi si stabilizza a un livello tale che le differenze tra i costi di produzione vengono eliminate. Nell'esempio precedente, se il tasso di cambio fosse stato inizialmente di 1, l'impresa italiana sarebbe stata in difficoltà, ma il problema sarebbe sparito se il cambio fosse stato svalutato portandolo a 1,25. Ed è questo che succedeva prima che iniziassimo a condividere la stessa moneta con la Germania: quando i costi di produzione in Italia aumentavano più rapidamente che in Germania (perché l'Italia aveva un'inflazione più elevata), le imprese italiane restavano competitive perché la lira si svalutava rispetto al marco. Per esempio, nel 1970, per comprare un marco occorrevano 172 lire. Nel 1998, alla vigilia dell'entrata nell'euro, ne occorrevano 987, questo perché nel frattempo i prezzi e i costi di produzione italiani erano aumentati molto più di quelli tedeschi.

Con l'euro, abbiamo perso la possibilità di svalutare. Il che ci imponeva di mantenere l'inflazione e l'aumento dei costi di produzione, dopo l'entrata nell'euro, in linea con quelli tedeschi. Purtroppo non è stato così. Prima di capire cos'è successo, un avvertimento, su cui poi torneremo: non è che dovesse necessariamente andare a finire come è finita. È che siamo entrati nell'euro pensando di poter continuare a fare quello che facevamo prima. In questo consiste il peccato considerato in questo capitolo: non siamo stati capaci di adeguarci alle regole di comportamento richieste dal vivere con la stessa moneta. In aggiunta, siamo stati anche un po' sfortunati. Ma vediamo come e perché.

Cronaca di una crisi annunciata

Per le imprese un principale elemento di costo è il costo del lavoro, in particolare il costo del lavoro per unità di prodotto. Se un'ora di lavoro mi costa 100 e in quell'ora produco 10 unità di prodotto (per esempio 10 forchette), il costo del lavoro per unità di prodotto (per forchetta) è 10. Il costo del lavoro per unità di prodotto dipende quindi dal salario orario e dalla produttività (il numero di forchette che produco in un'ora di lavoro). Il costo del lavoro per unità di prodotto è una delle principali variabili che gli economisti seguono per valutare se un paese guadagna o perde competitività, proprio perché il costo del lavoro è una componente principale dei costi di produzione.

Tra il 2000 e il 2007 il costo del lavoro per unità di prodotto è rimasto praticamente invariato (anzi è sceso leggermente) in Germania perché gli aumenti salariali sono stati in linea con l'aumento della produttività. Nello stesso periodo è invece aumentato del 20-25 per cento in Italia. Questo perché i salari sono aumentati più rapidamente della produttività (che cresceva poco). In generale, l'inflazione in Italia è stata più elevata che in Germania. Lo stesso è accaduto in altri paesi del Sud Europa (Spagna, Portogallo, Grecia), che hanno tutti perso competitività rispetto alla Germania e ad altri paesi nordici.[2]

Perché i nostri prezzi e il nostro costo del lavoro (i salari al netto della produttività) sono cresciuti più rapidamente che all'estero, causando una perdita di competitività? Per tre motivi.

Il primo, l'inerzia: eravamo abituati ad aumenti di stipendio più elevati dell'aumento della produttività, tanto poi svalutavamo, e abbiamo continuato a fare così anche una volta persa la possibilità di svalutare.

Il secondo è che quando si entra in un'area a moneta comune gli investimenti finanziari si muovono verso i paesi a tasso di interesse più alto (come era l'Italia negli anni novanta), facilitando la convergenza dei tassi di interesse: i nostri tassi sono così scesi a un livello vicino a quelli tedeschi (il famoso "spread", cioè il differenziale fra tassi italiani e tedeschi, si è quasi azzerato). Questa rapida discesa dei tassi di interesse ha causato un aumento della spesa (quando i tassi di interesse sono bassi, famiglie e imprese prendono a prestito più facilmente e spendono di più) soffiando sul fuoco dell'inflazione.

Il terzo motivo è che anche la politica di bilancio pubblico ha cominciato a soffiare su prezzi e salari. Visto che i tassi di interesse e la relativa spesa per interessi sul debito pubblico scendevano, si è pensato che il problema del debito fosse stato magicamente risolto e abbiamo cancellato quel miglioramento nei conti pubblici che avevamo ottenuto negli anni novanta. Con il secondo Governo Berlusconi, dopo l'entrata nell'euro, la spesa, al netto di quella per interessi, è aumentata rapidamente, compresa quella relativa agli stipendi dei dipendenti pubblici, e sono state tagliate un po' le tasse, il che ha ulteriormente surriscaldato prezzi e salari.[3] Anche in questo abbiamo peccato. Non solo: abbiamo perso pure un'occasione per ridurre il nostro debito pubblico più rapidamente. Il debito pubblico è sceso rispetto al Pil, perché il peso degli interessi si è ridotto con la discesa dei tassi, ma non abbiamo sfruttato abbastanza questo beneficio che ci arrivava dall'aver adottato l'euro: il nostro debito pubblico è sceso di 10 punti percentuali di Pil dal 1998 al 2007; nello stesso periodo il debito belga (altro paese ad alto debito pubblico negli anni novanta) è sceso di 30 punti percentuali, tre volte tanto.

Come dicevo, siamo stati un po' sfortunati. Mentre tutto questo succedeva all'interno del paese, le condizioni esterne cambiavano a nostro sfavore. Da un lato il prezzo delle materie prime aumentava (un barile di petrolio, che costava poco più di 11 dollari nel 1998, saliva a 70 dollari nel 2007 e sfiorava i 100 nel 2008). Purtroppo, noi importiamo molte materie prime, e più idrocarburi degli altri, il che spingeva ulteriormente verso l'alto i nostri costi di produzione. Dall'altro lato, entravano sul mercato mondiale prepotentemente nuovi esportatori (Cina, India), spesso in competizione diretta con prodotti italiani (pensate al tessile). L'effetto di un'entrata sul mercato di nuovi competitori può essere attenuata da una svalutazione del tasso di cambio, ma quella flessibilità l'avevamo persa.

L'effetto dell'aumento dei costi del lavoro (e delle materie prime) a partire dal 2000 è evidente da diversi sviluppi. Sotto la pressione della concorrenza internazionale, gli aumenti di costo non possono essere trasferiti interamente sui prezzi delle esportazioni e i profitti delle imprese scendono, con la quota dei profitti sul valore totale del prodotto che cala da oltre il 48 per cento nel 1998 a poco più del 40 per cento nel 2013. Con meno profitti si fanno meno investimenti, e la quota degli investimenti italiani sul totale dell'area euro scende dal 17 per cento nel 1998 a poco più dell'attuale 13 per cento. La produttività del lavoro (quanto si produce in un'ora di lavoro) aumenta in Italia del 3,5 per cento nei diciotto anni tra il 1998 e il 2016; l'aumento in Germania è del 47 per cento nello stesso periodo. Tra il 2000 e il 2016 le esportazioni italiane di beni e servizi aumentano del 25 per cento; quelle tedesche del 115 per cento. Di conseguenza, i nostri conti con l'estero peggiorano: il saldo tra esportazioni e importazioni di beni e di servizi (in termini tecnici, il saldo delle partite correnti della bilancia dei pagamenti) che nel 1998 presentava un surplus del 2 per cento del Pil (e del 3 per cento nei precedenti due anni) si indebolisce gradualmente fino a raggiungere un deficit massimo del 3,5 per cento del Pil nel 2010.[4]

Qualcuno aveva previsto che il nostro ingresso nell'euro potesse avere un tale esito. Nel maggio del 1998 Antonio Fazio, allora governatore della Banca d'Italia, nelle sue

Considerazioni finali alla *Relazione della Banca d'Italia* affermava: "La partecipazione alla moneta unica europea acquisisce definitivamente la stabilità monetaria. Da essa potranno derivare sviluppo, occupazione e risanamento delle finanze pubbliche se le politiche economiche e i comportamenti delle parti sociali saranno coerenti. Ne discenderanno altrimenti una minore competitività, un indebolimento della struttura produttiva, un aumento della disoccupazione. L'esito dipende crucialmente dalle politiche di finanza pubblica e di costo del lavoro".

Arriviamo quindi alla crisi mondiale del 2008-2009 e a quella dell'area euro con due problemi molto gravi ancora da risolvere: una perdita di competitività notevole e un debito pubblico che è sceso, ma non abbastanza e resta tra i più alti al mondo. C'è forse da meravigliarsi allora se nel 2011 la speculazione ci attacca, se i finanziamenti verso l'Italia si interrompono, se poi, tutto di un colpo, dobbiamo per forza introdurre politiche di austerità (visto che non riusciamo a prendere a prestito sui mercati finanziari a tassi di interesse sostenibili, con uno spread che sale a 550 punti), se, in conseguenza di tutto ciò, il Pil crolla di oltre 10 punti percentuali in tre anni?

La questione, poi, comincia ad avvitarsi. Con la caduta del Pil si investe ancora meno, i profitti – ma a questo punto anche i salari – scendono, i prestiti delle banche vanno in sofferenza e la disoccupazione raggiunge massimi storici, soprattutto tra i giovani.

Ci salva la Banca centrale europea

Il Pil italiano ha ora ripreso a crescere. Il nostro tasso di crescita è al di sotto di quello medio europeo, ma stiamo crescendo. Quello che ci ha aiutato è il sostegno dato dalla Banca centrale europea (la Bce) all'area euro in generale e all'Italia in particolare.

Nel punto più buio della crisi – nel luglio 2012 –, Mario Draghi, durante un intervento che farà storia, dichiara che la Bce farà *"whatever it takes"* (tutto quello che è necessario, ma in inglese l'espressione ha un tono più energico) per preservare l'euro. La Bce abbassa i tassi di interesse al di sotto dello zero (sui propri depositi), inonda le banche di liquidità (cioè di euro) e, più recentemente, inizia anche a comprare massicciamente titoli di stato, compresi titoli italiani, come strumento per introdurre ulteriore liquidità nel sistema finanziario. Gli spread iniziano a scendere già nella seconda metà del 2012 e raggiungono livelli minimi durante il 2016.

C'è chi si lamenta del fatto che la Bce sia intervenuta in ritardo, ma occorre tener presente che in un'unione monetaria come l'area euro è più complicato raggiungere un consenso su soluzioni mai sperimentate prima e in condizioni di crisi, soprattutto quando alcuni paesi pensano che la crisi sia causata dal fatto che altri paesi non si siano comportati secondo le regole dell'area monetaria. Le colpe sono un po' di tutti, ma, come ho sostenuto sopra, le nostre non sono irrilevanti. Fatto sta che la Bce può cominciare a intervenire più massicciamente a sostegno dell'area euro solo quando è chiaro che i paesi in crisi, tra cui l'Italia, sono disposti a fare la loro parte, attraverso un riordino dei loro conti pubblici e riforme strutturali. L'aiuto che ci viene dalla Bce è quindi, almeno in parte, reso possibile dalla brusca correzione nei nostri conti pubblici promossa dal Governo Monti, cui invece ora molti continuano erroneamente ad attribuire i nostri guai attuali.

È chiaro però che, se non cambia qualcosa di profondo, rimarremo esposti al ripetersi di una crisi simile a quella del 2011-2012. La politica monetaria espansiva della Bce potrà durare solo finché l'inflazione dell'area euro resta sotto controllo. L'inflazione si sta però ormai avvicinando al livello obiettivo, vicino ma al di sotto del 2 per cento. Prima o poi i tassi di interesse in Europa cominceranno a salire. Tenete pure in conto che nell'autunno 2019 il mandato di Mario Draghi alla Bce scadrà e che, molto probabilmente, per una questione di rotazione, Draghi sarà sostituito da qualcuno che proviene dal Nord Europa, qualcuno che potrebbe interpretare il mandato della Bce in modo diverso da quello del suo predecessore.

Lo spread è attualmente più elevato rispetto al 2016. Siamo ancora lontani dai livelli insostenibili del 2012, ma non possiamo illuderci di non essere esposti a seri rischi. Le due vulnerabilità che ci hanno condannato in quella occasione, la perdita di competitività che causa bassa crescita e l'alto debito pubblico, sono ancora lì: entrambe queste vulnerabilità potrebbero, in teoria e seppure dopo un difficilissimo periodo di transizione e di forte inflazione, essere corrette mediante un'uscita dall'euro, come vedremo nel prossimo paragrafo. Ed è proprio questo che può scatenare la speculazione: l'aspettativa che per risolvere i nostri problemi potremmo decidere di uscire dall'euro.

Un attacco speculativo potrebbe avere conseguenze anche più serie che nel 2011-2012: non solo il debito pubblico è più alto di allora, ma il sistema bancario è in condizioni più difficili. A causa della crisi economica le sofferenze bancarie (i crediti che sarà difficile o impossibile riscuotere) sono aumentate. Le banche hanno accantonato fondi a fronte di queste probabili perdite e hanno aumentato il proprio capitale, ma è chiaro che per loro ora sarebbe più difficoltoso superare un nuovo shock. Inoltre, il legame tra bilanci delle banche e bilancio dello stato resta molto forte. Un aumento dei tassi sul debito pubblico causato da un attacco speculativo provocherebbe una caduta nel prezzo dei titoli di stato detenuti dalle banche, e quindi una riduzione del loro patrimonio netto. Le banche potrebbero cadere preda di attacchi speculativi. Il loro indebolimento creerebbe però la necessità per lo stato di dover intervenire in loro soccorso, il che porrebbe un'ulteriore pressione sui conti pubblici. È facile che in questa situazione si crei un circolo vizioso che faccia esplodere gli spread.

Ma se anche questo non accadesse, se non arrivassimo a una nuova crisi, la bassa competitività e l'alto debito pubblico ci condannerebbero a una crescita bassa, allontanandoci sempre più dal livello di reddito dei maggiori paesi europei. Qual è la soluzione?

Uscire dall'euro?[5]

In teoria i problemi italiani, un debito pubblico elevato e una bassa crescita e competitività, potrebbero essere risolti uscendo dall'euro. Però bisogna essere chiari sul modo in cui e sul perché l'uscita aiuterebbe a risolvere questi problemi, cosa che spesso i suoi sostenitori non fanno.

Cominciamo con la competitività e la crescita. Se lasciassimo l'euro e introducessimo la nuova lira, questa si svaluterebbe immediatamente rispetto all'euro. Ciò sarebbe inevitabile visto che la nuova lira verrebbe introdotta con il preciso scopo di poter svalutare. La svalutazione renderebbe più cari i prodotti importati, ma sarebbe un bene per gli esportatori che riceverebbero più nuove lire per quello che esportano. Torniamo all'esempio precedente. Il produttore italiano di moto venderebbe sempre la moto a 10.000 euro ma se per ogni euro ricevesse 1,25 lire (una svalutazione del 25 per cento) il suo margine di profitto sarebbe ora alto quanto quello del produttore tedesco.

Ma c'è un importante *caveat*. Tutto questo funziona se i salari non si muovono. Se i salari invece aumentassero, per compensare il fatto che i beni importati (la benzina, i computer, le banane, ecc.) ora costano di più, allora il produttore di moto non riuscirebbe a recuperare i margini di profitto. Data la debole congiuntura italiana, e l'elevata disoccupazione, i salari probabilmente non aumenterebbero in linea con la svalutazione e l'inflazione (anche i prezzi interni dei prodotti non sottoposti alla concorrenza internazionale aumenterebbero probabilmente). Ma, se questo avvenisse, i salari sarebbero tagliati in termini reali, cioè in termini di potere d'acquisto. Conclusione: l'uscita dall'euro funziona nel restituire competitività ai prodotti italiani se è accompagnata da un taglio dei salari reali. Su questo dobbiamo essere chiari. Il costo del lavoro per unità di prodotto si ridurrebbe e la competitività aumenterebbe solo se ci fosse un taglio dei salari reali.

C'è anche un secondo problema. Supponiamo che siate indebitati in euro: vi siete comprati una casa e avete contratto un prestito ipotecario da una banca per 100.000 euro. Supponiamo che il vostro reddito sia di 50.000 euro l'anno. Il vostro debito è pari a due stipendi annui. Con l'introduzione della nuova lira il vostro stipendio viene convertito in 50.000 nuove lire (al cambio di una lira per un euro). Il giorno dopo la lira si svaluta e occorrono 1,25 lire per comprare un euro. Quanto pesa ora il vostro debito ipotecario? Per comprare 100.000 euro ora vi servono 125.000 nuove lire, quindi il debito non è più equivalente a due anni di stipendio, ma a due anni e mezzo (125.000 : 50.000 = 2,5). Ci avete perso. Naturalmente si potrebbe fare una legge che stabilisca di convertire il vostro debito che era in euro in nuove lire al cambio uno a uno (cioè il debito diventa di 100.000 nuove lire). Ma questo crea problemi per la banca creditrice che, magari, aveva finanziato il vostro credito prendendo a prestito dall'estero. Quindi occorrerebbe anche dire ai finanziatori esteri che saranno ripagati in nuove lire (al cambio di uno a uno), il che non sarebbe ben accetto. Probabilmente farebbero causa alla banca italiana debitrice in un qualche tribunale estero o italiano.

Questi effetti di una svalutazione sul valore del debito, definiti tecnicamente *balance sheet effects* (effetti di bilancio), potrebbero essere molto forti e mandare in bancarotta parecchie famiglie o imprese. Questo è tanto più vero quanto più il cambio si svaluta. Ed è una regolarità empirica, che emerge dall'osservazione di passate crisi di cambio, che l'uscita da un accordo di cambio fisso (e a maggior ragione la creazione di una nuova moneta nata proprio per svalutare) sia accompagnata da una svalutazione ancora più forte di quella necessaria per sanare i problemi di competitività. Nell'esempio precedente una svalutazione del 25 per cento sarebbe sufficiente per rendere l'impresa competitiva, ma la nuova lira potrebbe inizialmente svalutarsi, per esempio, del 40-50 per cento. Si parla di *overshooting* del tasso di cambio, di un eccesso di movimento ("*overshoot*" si potrebbe tradurre come "sparare troppo in alto"). Quindi questi effetti di bilancio sarebbero molto forti.[6]

Passiamo ora al debito pubblico. Se abbandonassimo l'euro, potremmo finanziare il debito pubblico in scadenza non aumentando le tasse o tagliando la spesa, ma stampando nuove lire. La Banca d'Italia potrebbe tornare a fare quello che faceva negli anni settanta, quando una buona parte del deficit pubblico veniva finanziato stampando moneta. Il che funziona benissimo. Se si stampa un po' troppa moneta, la gente perde fiducia nel valore della stessa e cerca di liberarsene spendendola. Questo fa aumentare il livello dei prezzi. A questo punto lo stato può risolvere non solo il problema del finanziamento del deficit (lo squilibrio tra entrate e uscite viene finanziato stampando moneta), ma anche del debito. Il debito denominato inizialmente in euro potrebbe, per legge, essere convertito in nuove lire al cambio di uno a uno. Se lo stato si era indebitato per 100 euro, ora è indebitato per 100 nuove lire. Se però l'inflazione sale al 25 per cento l'anno, dopo un anno il valore in termini di potere d'acquisto del debito di 100 lire si sarà ridotto del 25 per cento. Lo stato ci guadagna. Ma se lo stato ci guadagna, qualcuno ci perde, e chi ci perde sono gli italiani che (direttamente o tramite le banche o gli istituti di assicurazione) avevano prestato soldi allo stato, acquistandone le obbligazioni. Quindi, l'uscita dall'euro potrebbe effettivamente risolvere anche il problema del deficit e del debito pubblico, ma solo attraverso un'ondata inflazionistica che imporrebbe ai detentori di titoli di stato una "tassa da inflazione". Lo facevamo negli anni settanta, e non è che ci piacesse molto vivere con un'inflazione del 20-25 per cento.

Alcuni esponenti politici hanno poi di recente proposto non l'abbandono dell'euro, ma l'introduzione di una moneta parallela che verrebbe usata dallo stato, e forse da altri, per le proprie transazioni all'interno del paese. L'euro non verrebbe abbandonato, ma impiegato solo per le transazioni internazionali. Un fatto però è ovvio: chi esporta in Italia non accetterebbe certo di essere pagato in nuove lire (che la nuova lira sia parallela o meno), ma richiederebbe euro o dollari. Una moneta parallela sarebbe equivalente all'uscita dall'euro. Anche su questo occorre essere chiari.

Esistono poi altre complicazioni. Il nostro sistema dei pagamenti è ormai totalmente integrato con quello degli altri paesi dell'euro. Quando staccate un assegno o pagate con una carta di credito forse non ci pensate, ma dietro al trasferimento di denaro da un conto a un altro c'è un sistema molto complesso che è gestito a livello europeo dalla Bce. Uscirne non è per niente semplice.[7] Fra l'altro, dovremmo saldare il debito che l'Italia ha con la stessa Bce, debito derivante dallo squilibrio che si è creato nei pagamenti italiani negli ultimi anni per effetto di una crisi di fiducia nel nostro paese. Questo squilibrio al settembre 2017 ammontava a 433 miliardi.[8]

In conclusione, abbandonare l'euro potrebbe forse consentire di risolvere i problemi di crescita, competitività e debito pubblico, ammesso che si riesca a ristabilire condizioni macroeconomiche ordinate dopo l'uscita dall'euro, ma questo avverrebbe al prezzo di un taglio dei salari reali, di una tassa da inflazione e solo dopo un periodo che sarebbe molto turbolento anche per via degli effetti di bilancio che accompagnano una svalutazione e dello sconvolgimento del sistema dei pagamenti. Non ne vale la pena.

Tutto questo, si potrebbe obiettare, sarà anche vero. Ma se la medicina è amara non significa che non la si debba prendere. Magari per superare la transizione e ristabilire un po' d'ordine ci toccherebbe chiedere l'aiuto del Fondo monetario internazionale, il che – sulla base di un'esperienza quasi trentennale in quella organizzazione posso dirlo – non sarebbe affatto divertente.[9] Ma alla fine ne usciremmo. Meglio che rimanere nell'area euro e, magari, crescere la metà degli altri, anche assumendo di sopravvivere alle periodiche crisi di fiducia. La vera domanda allora è: possiamo risolvere i nostri problemi di crescita, competitività e debito pubblico senza uscire dall'euro?

Come uscirne senza uscire dall'euro

È sempre utile, quando si tratta di valutare un'opzione di politica economica, tentare di capire come si comportano altri paesi nelle stesse condizioni. Altri paesi del Sud Europa hanno sofferto problemi di adattamento all'euro simili a quelli dell'Italia. Cosa stanno facendo? Riescono a recuperare competitività rispetto ai paesi nordici? Fino al periodo più recente, la Francia non ci stava riuscendo: i costi del lavoro per unità di prodotto hanno continuato ad aumentare, seppur leggermente. Con l'elezione di Emmanuel Macron sono state lanciate diverse riforme, e vedremo che risultato avranno. Chi invece sta recuperando competitività sono Spagna e Portogallo, dove i costi di produzione sono in discesa dal 2009. Li sta aiutando nella rincorsa alla Germania il fatto che in questo paese i costi del lavoro ora stanno aumentando: in Germania la disoccupazione è al 4 per cento, il livello più basso dal 1980, e i salari stanno crescendo più della produttività. Il Portogallo ha così ormai riassorbito il divario, in termini di aumento dei costi di produzione, che si era creato tra il 2000 e il 2008; la Spagna ci è vicino. Se ci stanno riuscendo loro non potremmo riuscirci anche noi?

L'aumento dei costi del lavoro in Germania è una buona notizia anche per noi. Negli ultimi anni il costo del lavoro in Germania è aumentato un po' più che da noi, ma il divario creatosi nella scorsa decade è ancora elevato: stiamo recuperando ma troppo lentamente. E, nel frattempo, stiamo ora perdendo competitività rispetto a Spagna e Portogallo, dove, appunto, i costi stanno scendendo, il che non è una buona notizia, per esempio per il settore del turismo.

Occorre quindi fare di più per recuperare competitività. Ora, il costo del lavoro per unità di prodotto è il rapporto tra due fattori: il livello dei salari nominali e il livello della produttività. Può quindi scendere se si riducono i salari in euro, oppure se, a parità di salari, aumenta la produttività, cioè il prodotto per ora lavorata. Tagliare i salari è però una cosa poco piacevole, soprattutto per chi li riceve. Inoltre, porta a meno consumi, il che riduce la domanda aggregata, seppure questo sarebbe compensato da un aumento delle esportazioni. La seconda opzione (aumentare la produttività) è chiaramente preferibile. Ma, più in generale, è meglio cercare di riformare l'economia italiana in modo che non solo i costi del lavoro, ma tutti i costi che un'impresa deve affrontare siano ridotti, facilitando quindi un recupero di competitività.

E qui ci ricolleghiamo ai temi (ai peccati) discussi nelle pagine precedenti. Se la pubblica amministrazione diventa più efficiente e i costi della burocrazia si riducono, le imprese se ne avvantaggiano: spendere tempo a compilare moduli o attendere mesi per un'autorizzazione comporta un costo, compreso per le imprese che esportano. Occorre quindi rendere la pubblica amministrazione più efficiente per ridurre i costi delle imprese, attraverso un massiccio abbattimento della burocrazia. La recente riforma Madia è stata vincolata da troppi paletti perché possa avere risultati davvero significativi sull'efficienza della pubblica amministrazione.

Se la giustizia civile è lenta, l'incertezza del diritto costituisce un costo per le imprese che operano sul nostro territorio e un deterrente all'investimento. E, se non si investe, la produttività non cresce o si riduce. Occorre rendere la giustizia più veloce. I risultati raggiunti finora sono ancora insufficienti.

L'investimento in Italia si riduce anche se la corruzione scoraggia le imprese più efficienti dall'investire in Italia (perché "chi poi vince gli appalti è chi paga più tangenti"). E ancora, se l'evasione fiscale consente alle imprese meno efficienti di sopravvivere, le imprese più efficienti e che pagano le tasse preferiranno investire all'estero. Se il Sud Italia riesce finalmente a diventare un luogo dove conviene investire, la produttività del Sud, e quella dell'intero paese, aumenta. Anche in queste aree non ci sono segni di un chiaro miglioramento negli ultimi anni.

Occorre inoltre una decisa azione per aumentare la concorrenza. Non ne ho parlato molto in questo libro (non ho spazio a sufficienza!), ma è un tema essenziale. Un'economia di mercato funziona bene se c'è abbastanza concorrenza, se cioè sono le imprese migliori a emergere. Ci sono voluti più di due anni per approvare il provvedimento sulla concorrenza presentato dal Governo Renzi e che doveva essere il primo di una serie di leggi annuali su questo tema. Ed è uscito annacquato dal parlamento. Non è un buon segno. La concorrenza è una condizione necessaria per un aumento dell'efficienza, della produttività e della competitività.

Un altro tema fondamentale è quello della tassazione: il peso della tassazione sul lavoro e sulle imprese italiane è più elevato che in Germania, e se vogliamo recuperare competitività bisogna ridurlo. Ma per ridurlo in modo credibile occorre risparmiare sulla spesa pubblica. Negli ultimi anni, la pressione fiscale, a partire dall'operazione degli 80 euro sul costo del lavoro, si è alleggerita, ma ciò a scapito di un ritardo nel processo di risanamento dei conti pubblici che è invece essenziale per la sostenibilità del nostro debito pubblico, e quindi per la credibilità della riduzione delle stesse tasse. Questo è evidente dall'osservazione dell'andamento del cosiddetto "avanzo primario" delle pubbliche amministrazioni: l'avanzo primario, la differenza tra entrate dello stato e spesa al netto degli interessi, è l'insieme delle risorse che servono per pagare gli interessi e, potenzialmente, ridurre il debito pubblico. Secondo il Documento di economia e finanza formulato nella primavera del 2014, l'avanzo primario avrebbe dovuto raggiungere nel 2017 il 4,6 per cento del Pil. Tra il 2013 e il 2017, il rapporto tra debito e Pil avrebbe dovuto ridursi di 7 punti percentuali e mezzo. Alla fine, invece, nonostante la correzione imposta dalla Commissione europea nel corso del 2017, l'avanzo primario ora è stimato all'1,7 per cento e tra il 2013 e il 2017 il debito è previsto essere aumentato di un punto percentuale e mezzo di Pil. Il minor avanzo primario è per il 40 per cento dovuto all'effetto automatico della più moderata crescita del Pil rispetto a quanto previsto nel 2014 (se il Pil cresce meno le entrate dello stato crescono meno); ma per il restante 60 per cento è dovuto alla riduzione delle aliquote di tassazione decise senza un'adeguata riduzione della spesa, che è anzi aumentata al netto degli interessi. Ma tagli di tassazione a scapito della solidità dei conti hanno effetto limitato sulle decisioni di spesa e investimento del settore privato perché sono considerati come temporanei, e l'effetto sulla crescita è stato di conseguenza modesto. La legge di bilancio per il 2018 non cambia molto. Nonostante la previsione di una continua crescita a un tasso soddisfacente (l'1 e mezzo per cento), l'avanzo primario aumenta solo in modo modesto salendo al 2 per cento: avremmo dovuto essere al 5 per cento sempre secondo i piani dell'aprile del 2014.

Tutto sommato, credo che sia di gran lunga preferibile cercare di tornare alla crescita riformando l'economia italiana, piuttosto che scegliere il salto nel buio rappresentato da un'uscita dall'euro. Ma per intraprendere una strada alternativa occorre muoversi per tempo e negli ultimi anni non lo abbiamo fatto.

Il rischio, nell'attendere, è che uno shock di qualunque natura possa causare una caduta del Pil. Questo scatenerebbe probabilmente un nuovo attacco speculativo contro l'Italia. Se il Pil scendesse, il rapporto tra debito pubblico e Pil riprenderebbe a crescere e aumenterebbe la sfiducia nella possibilità del paese di rimettersi su un sentiero di crescita e di sostenere il nostro debito pubblico. Cosa accadrebbe a quel punto è difficile dirlo. Potremmo essere costretti dagli attacchi speculativi sui mercati finanziari a uscire dall'euro. O potremmo essere costretti a chiamare la Troika. Come ho detto, non sarebbe piacevole.

Una profonda trasformazione economica

Quello che si richiede per uscire dalla stagnazione e dalla crisi che ha colpito l'Italia da un ventennio non è una correzione al margine, ma una trasformazione profonda del modo in cui opera l'economia italiana, volto ad aumentarne efficienza e competitività.

Perché questo avvenga, dobbiamo toglierci dalla testa alcune illusioni:

• Non illudiamoci che il processo di crescita possa essere trainato dal settore pubblico: la politica fiscale è vincolata dall'elevato debito pubblico, più che dalle regole europee. Anche la spesa di investimenti pubblici non serve se non impariamo a spendere meglio.

• Non illudiamoci che la spesa privata possa essere sostenuta dal credito bancario. Le banche sono ancora oberate dalle sofferenze e da incertezza sui vincoli regolamentari per poter espandere il credito rapidamente.

• Non illudiamoci che il processo di crescita possa essere trascinato da investimenti infrastrutturali europei. Sarebbe bello ma non avverrà, anche in presenza di un rinnovato spirito europeo dopo la vittoria di Emmanuel Macron in Francia. Non credo, purtroppo, che quanto si deciderà a livello europeo possa avere dimensioni sufficienti a risollevare l'economia italiana. Dobbiamo cavarcela da soli, per stare in Europa alla pari con gli altri. Se poi aiuti verranno dall'Europa, tanto meglio.

L'unico modello di crescita che può agevolare l'uscita dell'Italia dalla crisi è un modello trainato dalle esportazioni, anche se dobbiamo sperare che i venti protezionistici che si stanno sviluppando a livello internazionale non si sollevino troppo forti. Il recupero di competitività che, nelle pagine precedenti, ho sostenuto essere necessario deve diventare il motore della crescita italiana, come lo è stato per la Germania negli ultimi due decenni. E come lo è stato in passato per l'Italia. In passato, però, a partire dalla fine degli anni sessanta, questo motore ha funzionato solo in presenza di periodiche svalutazioni del cambio, perché gli aumenti di costo eccedevano regolarmente gli aumenti di produttività. Ora dobbiamo farlo senza svalutare, anzi, recuperando la competitività persa da quando siamo entrati nell'euro.

Per farlo, occorre una forte accelerazione nel processo di riforma dell'economia italiana, accompagnato da un rafforzamento dei conti pubblici attraverso il contenimento della spesa pubblica, che consenta anche una minore tassazione. Questo richiederà probabilmente un ripensamento del ruolo dello stato nell'economia. Non è possibile continuare a considerare lo stato come la soluzione di tutti i problemi personali e sociali, come il risolutore di prima istanza, invece che di ultima.

Alcune considerazioni conclusive

> Il nostro obbligo più imperioso è quello dell'educazione; di qui, dunque, bisogna ricominciare: opera lunga, vasta, difficile, se è vero che educare voglia dire far cosciente l'incosciente, ma degna e gloriosa.
>
> GIUSTINO FORTUNATO

Facciamo il punto della situazione. I sette peccati capitali considerati in questo libro sono rilevanti, danneggiano l'economia italiana e, a tutt'oggi, i segnali di miglioramento restano parziali. Riassumiamo:

• Evasione fiscale. Si evade probabilmente meno che negli anni ottanta e novanta, ma dalla fine della scorsa decade non c'è stato un significativo miglioramento, anche se questa mancanza di progresso potrebbe essere stata influenzata dalla recessione che ci ha colpito dal 2009 e una riduzione dell'evasione è stata registrata nel 2015 (i dati sono però ancora provvisori). In ogni caso, si continua a evadere molto più che nella maggior parte dei paesi avanzati.

• Corruzione. Si è registrato un certo miglioramento rispetto agli anni ottanta, poi negli ultimi anni non ci sono più stati chiari segni di progresso, seppure gli sforzi soprattutto nell'area della prevenzione si siano intensificati di recente. In ogni caso, anche qui siamo molto indietro rispetto agli altri paesi avanzati.

• Eccesso di burocrazia. Qualche miglioramento si è verificato negli ultimi anni, ma, in parte perché anche gli altri hanno ridotto la burocrazia, restiamo sempre indietro.

• Lentezza della giustizia. Il numero dei casi pendenti si è ridotto considerevolmente dal 2009, ma i risultati in termini di riduzione dei tempi dei procedimenti sono ancora limitati e tali tempi restano molto più elevati che all'estero.

• Crollo demografico. Nessun segno di miglioramento; l'immigrazione è per ora l'unica forza che contiene il crollo nel tasso di natalità ed evita una riduzione marcata della popolazione. La crisi economica ha peggiorato un po' la situazione, ma il crollo nel tasso di fertilità è di ben più lunga data e non c'è da sperare che la ripresa congiunturale possa segnare una differenza sostanziale.

• Divario tra Nord e Sud. Con la fine della recessione, c'è qualche segnale di recupero del Mezzogiorno, ma il divario resta profondissimo e, anche in questo caso, la ripresa economica non sarà sufficiente a risolvere un problema secolare.

• Difficoltà a convivere con l'euro. La perdita di competitività che abbiamo osservato dopo l'entrata nell'euro resta elevata. Si sta riducendo rispetto alla Germania, dove i costi di produzione stanno finalmente salendo, ma ora abbiamo perso competitività rispetto ai paesi del Sud Europa.

Occorre fare meglio, e per ognuno dei peccati considerati ho fornito delle possibili soluzioni. Non mi resta che richiamare, al di là delle soluzioni specifiche, un tema di fondo. L'ultimo paragrafo del capitolo precedente invoca una trasformazione economica profonda. Perché questo avvenga occorre un'altrettanto profonda trasformazione sociale e culturale. Molti dei peccati discussi in questo libro riflettono una scarsità di capitale sociale, capitale di cui ogni nazione ha bisogno per non decadere a livello economico e istituzionale. Noi italiani siamo sempre stati un po' troppo individualisti: non ci è mai piaciuto rispettare le regole. Il tema del rispetto (o mancanza di rispetto) delle regole è un tema trasversale in questo libro: lo abbiamo visto nel capitolo sulla corruzione, in quello sull'evasione fiscale, e anche in quello sulla difficoltà a convivere con l'euro, un riflesso della difficoltà ad accettare le regole (legali ed economiche) del vivere in un'area a moneta unica. È però paradossale che ci piaccia così tanto scrivere regole, come abbiamo visto nel capitolo sulla burocrazia.

Come è paradossale che la nostra cultura trovi le sue radici nella cultura dell'antica Roma, in quel *dura lex, sed lex* su cui era fondato l'*ethos* della repubblica romana. Insomma, dobbiamo sfrondare ed eliminare le regole inutili, e parallelamente imparare a rispettare quelle che esistono.

Forse però la tendenza all'individualismo e al mancato rispetto delle regole si è accentuata negli ultimi decenni. I valori di solidarietà e di senso civico che, seppure di rado messi in pratica, erano comunque alla base dell'ideologia dei due principali partiti politici della Prima repubblica negli anni cinquanta e sessanta del secolo scorso, e che fornivano una base per costruire un senso delle istituzioni, si sono via via persi per strada. Occorre recuperare quei valori.

L'importanza dei fattori culturali è spesso minimizzata da noi economisti che vediamo le scelte personali come influenzate quasi soltanto da obiettivi di massimizzazione dell'utilità personale, fondamentalmente identificata nel proprio reddito. Ho sostenuto anch'io nelle pagine precedenti questa tesi: gli incentivi economici sono essenziali nel determinare il comportamento delle persone. Ma questo non vuol dire che la cultura, la dotazione di capitale sociale, tutte quelle cose che servono a "internalizzare" gli effetti del comportamento individuale sul resto della società siano irrilevanti. Altrimenti non si spiegherebbero le forti differenze che esistono, a parità di legislazione, tra le diverse regioni italiane. Occorre anche agire rafforzando il capitale sociale, attraverso l'educazione dei nostri figli e nipoti.

L'insegnamento dell'educazione civica fu introdotto nelle scuole medie di primo e secondo grado da Aldo Moro. Oggi la si insegna ancora, sotto l'etichetta di "Cittadinanza e costituzione". In verità, c'è dentro un po' di tutto: l'educazione al rispetto dell'ambiente, elementi di Codice della strada, educazione alla salute e alimentare e, infine, principi della Costituzione italiana. Il tutto per un'ora alla settimana. Mi sembra un po' poco. Occorrerebbe invece che le scuole diventassero la fucina del nuovo spirito civico di cui l'Italia ha bisogno. Ma prima della scuola viene la famiglia. È dalla responsabilizzazione di genitori e parenti che bisogna ripartire. Tutti noi ne siamo coinvolti.

Non mi resta che precisare due punti finali.

Il primo, non abbiamo molto tempo per riformare l'economia italiana prima che uno shock internazionale ci colpisca. Non si può sperare che il mare resti sempre tranquillo. Lo spread – il differenziale tra rendimento dei titoli italiani e di quelli tedeschi, un po' l'indicatore della febbre dell'economia italiana – è già salito rispetto ai minimi raggiunti a inizio 2016. Resta ancora basso anche per il continuo supporto dato ai mercati finanziari da una politica monetaria che rimane ancora espansiva. Non sarà così per sempre, come ho già detto in precedenza. Dobbiamo sperare che il contesto internazionale comunque resti favorevole per il periodo più lungo possibile. Ma non possiamo contarci. Negli ultimi anni alcuni provvedimenti sono stati presi: si è riformato il mercato del lavoro, il deficit pubblico si è un po' ridotto, anche se solo per effetto della minore spesa per interessi, è stata avviata la riforma della pubblica amministrazione e così via. Tutto vero, ma quello che occorre, al più presto, è un cambio di passo, e questo è possibile solo se si riconosce che l'economia italiana, nel suo complesso e al di là delle tante eccellenze che indubbiamente esistono, trova difficoltà a competere in modo adeguato con gli altri principali paesi. Occorre comprendere l'urgenza dei problemi e smetterla con i rinvii. Sono dodici anni di fila che, prima di Natale, approviamo un "decreto milleproroghe" (ci siamo salvati nel 2017 solo per via delle elezioni imminenti). Siamo l'unico paese ad aver istituzionalizzato il rinvio. Non si acquisisce credibilità in questo modo.

Secondo e ultimo punto: un fattore decisivo per il successo delle riforme necessarie è l'esistenza di un forte consenso per tali riforme da parte dell'opinione pubblica. Voglio sperare che gli italiani sappiano ancora una volta reagire, ma che lo facciano non quando i problemi si acutizzano con una crisi, ma per prevenire quella crisi. Le parole di Piero Gobetti che ho citato all'inizio di questo volume furono scritte un secolo fa. Sono ancora attuali. Quella volta gli italiani imboccarono la strada sbagliata. Non dovrà essere così questa volta.

Note

1. Evasione fiscale

[1] Mi sono occupato un po' di erosione fiscale quando facevo il Commissario per la revisione della spesa. Il motivo è che l'erosione fiscale è per certi aspetti una forma di spesa (si parla, infatti, di "spese fiscali"): insomma, si può favorire un settore, per esempio il cinema, o trasferendo soldi a chi fa film, oppure esentandoli dal pagare le tasse. Di proposte in quest'area ne ho fatte parecchie – come ne ha fatte parecchie Roberto Perotti, che ha portato avanti dopo di me il lavoro della revisione della spesa –, ma non hanno trovato realizzazione, se non in minima parte.

[2] Sto semplificando un po': il 13 per cento si riferisce tecnicamente all'economia "non osservata", che è composta dall'economia sommersa in senso stretto (che vale il 12 per cento del Pil) e quella illegale (l'1 per cento del Pil).

[3] Naturalmente questo approccio è valido se i dati Istat sui consumi, sui redditi, sul Pil, compresa la stima del sommerso, sono corretti.

[4] Trovate il rapporto all'indirizzo http://www.finanze.gov.it/export/sites/finanze/it/.content/Documenti/Varie/Relazione-evasione-fiscale-e-contributiva.pdf. Vale la pena di sottolineare che si tratta di stime che possono essere riviste anche in modo sensibile da un anno all'altro. Per esempio, il grado di evasione dell'Irpef sul lavoro autonomo era stato stimato essere del 57 per cento al 2013 nel rapporto preparato dalla stessa commissione nel 2016, mentre il dato è stato ora rivisto al 67 per cento.

[5] Si tratta comunque di una stima molto inferiore a quella riportata talvolta dai media citando, come fonte, l'Eurispes, un istituto privato che ha concluso che gli italiani evadono circa 270 miliardi. Questa cifra però ha scarso fondamento, come spiegato da un articolo apparso sul "Foglio" un paio d'anni fa (si veda http://www.ilfoglio.it/economia/2016/01/30/news/leurispes-da-i-numeri-e-noi-dietro-92143/). Fra l'altro, la stima risale a oltre dieci anni fa quando l'Eurispes calcolò, non si sa bene come, che l'economia sommersa valeva 540 miliardi, cui applicò un'aliquota di tassazione del 50 per cento (ricavando appunto una stima dell'evasione di 270 miliardi) (http://eurispes.eu/content/rapporto-italia-2016-la-sindrome-del-palio). Detto ciò, la cifra riportata nel testo, di un'evasione pari a circa 130 miliardi, probabilmente sottostima la vera evasione. Mi sono tenuto prudente anche perché una cifra più elevata non collimava con la stima dell'economia som-

mersa dell'Istat. Quest'ultima potrebbe però a sua volta sottostimare il vero sommerso.

⁶ Questi dati sono tratti dal rapporto preparato per la Commissione europea dal Center for Social and Economic Research di Varsavia, che potete trovare all'indirizzo https://ec.europa.eu/taxation_customs/sites/taxation/files/2016-09_vat-gap-report_final.pdf; dalla media ho escluso i paesi dell'area euro non considerati come economie avanzate.

⁷ Trovate il rapporto all'indirizzo http://www.socialistsanddemocrats.eu/sites/default/files/120229_richard_murphy_eu_tax_gap_en.pdf.

⁸ Queste informazioni si riferiscono al periodo 2007-2009 e sono tratte da un'audizione presentata dalla Banca d'Italia al Senato nel 2014, soprattutto le tavole 4 e 5 (https://www.bancaditalia.it/pubblicazioni/interventi-vari/int-var-2014/audizione-050314.pdf). Informazioni per il periodo 2011-2014, che sostanzialmente confermano le stime della Banca d'Italia in termini di differenze nel grado di evasione sono contenute in un recente rapporto dell'Ufficio Studi Confcommercio (vedi http://www.confcommercio.it/documents/10180/13595649/Le+determinanti+dell%27evasione+fiscale.pdf/8fd55216-d0fc-4802-a2ef-c2254e-0a56f6). Inoltre, il già citato rapporto della Commissione Giovannini ci dice (a p. 31) che l'economia sommersa, quella che non paga le tasse, rappresenta il 19,5 per cento nel Sud, il 14,8 per cento al Centro, il 12,7 per cento nel Nord-Est e il 12,1 per cento nel Nord-Ovest.

⁹ Si veda la p. 97 del rapporto *Risalita in cerca di slancio. L'evasione blocca lo sviluppo*, in "Scenari economici", dicembre 2015, disponibile anche nel sito del Centro studi di Confindustria.

¹⁰ Questi dati sono tratti da un lavoro di uno dei maggiori esperti di finanza pubblica italiana, il prof. Antonio Pedone, che potete trovare all'indirizzo http://ojs.uniroma1.it/index.php/monetaecredito/article/view/13194.

¹¹ Trovate il dettaglio dei dati nella figura 1 (a p. 11) di un rapporto preparato dal Fondo monetario internazionale (https://www.imf.org/external/pubs/cat/longres.aspx?sk=44103.0) e nella figura 1 della citata relazione in parlamento della Banca d'Italia.

¹² La stima è basata su un modello econometrico dei fattori che influenzano l'evasione dell'Iva stimato dal Fondo monetario internazionale (https://www.imf.org/external/np/pp/eng/2015/020215a.pdf; appendice VI). Secondo il modello, un punto di aumento dell'*output gap* (la differenza tra Pil e Pil potenziale) causa un aumento della propensione a evadere sull'Iva di 0,4 punti. Si tratterebbe però di un effetto temporaneo che sparirebbe nel giro di due anni. Nel calcolare le stime dell'effetto della recessione sull'evasione ho ipotizzato un tasso di crescita del Pil potenziale pari a zero nel periodo successivo al 2008.

¹³ Potete trovare il rapporto, pubblicato nel settembre 2017, all'indirizzo https://ec.europa.eu/taxation_customs/business/tax-cooperation-control/vat-gap_en. Da notare che ben 18 su 28 membri dell'Unione Europea hanno registrato una riduzione nel grado di evasione dell'Iva nel 2015.

¹⁴ Li trovate all'indirizzo http://www.iariw.org/papers/2014/PansiniPaper.pdf.

¹⁵ La citazione è tratta dalla p. 14 del rapporto che trovate all'indirizzo https://www.bancaditalia.it/pubblicazioni/tematiche-istituzionali/2013-sepa/index.html.

¹⁶ Questo problema di causalità inversa esiste anche per altre possibili "cause" dell'evasione. Per esempio, le imprese potrebbero preferire di restare piccole perché se crescessero sarebbe più difficile evadere.

¹⁷ Trovate il riferimento all'indirizzo http://www.ilgiornale.it/news/berlusconi-evasione-giustificata-tasse-alte.html.

[18] La Guardia di finanza è un corpo di polizia efficiente, ma ci sono cose che non sono di sua competenza (valutare quanto il contribuente deve pagare, per esempio), e deve a un certo punto passare il testimone all'Agenzia, il che complica le cose.

[19] Secondo Stefano Livadiotti, autore di *Ladri. Gli evasori e i politici che li proteggono* (Bompiani, Milano 2014), l'evasione è proprio dovuta al fatto che non si effettuano abbastanza controlli e che non finisce in galera nessuno o quasi (nel filmato https://www.youtube.com/watch?v=lZV_SJoNyCY Livadiotti dice che in Italia al momento ci sono solo 69 persone in prigione per evasione).

[20] Oltre a ciò, come nota Vito Tanzi, per vent'anni capo del dipartimento di Finanza pubblica del Fondo monetario, "i condoni non si auto-amministrano ma richiedono l'attenzione degli amministratori delle agenzie delle entrate, e li distraggono dalle loro attività normali [...]. Questa distrazione contribuisce a far diminuire l'efficienza dell'amministrazione tributaria e fa crescere l'evasione [...]".

[21] Come nota il citato rapporto di Confindustria, la correlazione tra grado di evasione dell'Iva e misure di corruzione (o, più esattamente, di percezione della corruzione) è impressionante: il coefficiente di correlazione tra paesi è dello 0,94 (un coefficiente di correlazione può collocarsi tra -1 e 1 e quindi un valore vicino a 1 indica che, quasi senz'altro, quanta più alta è la corruzione, tanto più alta sarà l'evasione e viceversa).

[22] Un ottimo lavoro di Luigi Guiso, Paola Sapienza e Luigi Zingales ("Social Capital as the Missing Llink") incluso nello "Handbook in Economics" pubblicato da Elsevier nel 2011, discute il concetto di capitale sociale e il modo in cui può essere misurato. Il lavoro cita una classifica del capitale sociale seguendo una metodologia proposta da Guido Tabellini nel 2009 in cui l'Italia appare al 16mo posto su 23 paesi avanzati; e una classifica nel grado di fiducia verso gli altri in cui l'Italia appare al 17mo posto su 24 paesi avanzati.

[23] Tanto per darvi un'idea, lo *split payment* richiede che se qualcuno vende qualcosa (per esempio un tavolo) alla pubblica amministrazione, quest'ultima paga al venditore il prezzo senza l'Iva e versa direttamente l'Iva al fisco, il che garantisce che almeno sulle vendite alla pubblica amministrazione l'Iva sia pagata per intero. Lo *split payment* è però una misura temporanea che deve essere approvata dall'Unione Europea perché comporta una deviazione dal regolare funzionamento del meccanismo dell'Iva. Fra l'altro, per non penalizzare le imprese oneste, occorre che lo stato rimborsi prontamente l'Iva già versata da parte dei fornitori della pubblica amministrazione (che hanno pagato l'Iva ai loro fornitori). Al momento lo *split payment* è stato approvato per l'Italia solo fino al 2020. Il ministero dell'Economia e delle Finanze stima che questa misura abbia consentito il recupero addirittura di 3 miliardi e mezzo. La stima è però basata su un modello econometrico che non tiene conto della minore evasione in periodi di miglioramento ciclico. In altri termini, si attribuisce alle nuove misure anche quella parte della minore evasione che è dovuta semplicemente al miglioramento della congiuntura.

[24] Il Fondo monetario internazionale aveva consigliato che la trimestralizzazione dell'Iva fosse introdotta insieme all'eliminazione di una serie di altri adempimenti burocratici.

[25] Si veda http://www.oecd.org/ctp/exchange-of-tax-information/46244704.pdf.

[26] Trovate la lettera all'indirizzo http://www.odcecud.it/lettera-del-consiglio-nazionale-al-mef-e-allagenzia-entrate-coordinamento-termini-adempimenti-fiscali-in-scadenza-fino-al-mese-di-settembre-2017/. Il Financial Complexity Index invece lo trovate all'indirizzo https://www.tmf-group.com/en/news-insights/publications/2017/financial-complexity-index-2017/.

²⁷ Per esempio nel Documento di economia e finanza dell'aprile 2017 si indicava che "l'obiettivo del Governo è quello di potenziare l'uso sistematico e strutturato delle banche dati a disposizione e dei sistemi di tracciabilità delle transazioni, la fatturazione elettronica e la trasmissione telematica delle operazioni Iva".

²⁸ Si veda per esempio il lavoro della Banca d'Italia all'indirizzo https://www.bancaditalia.it/pubblicazioni/temi-discussione/2013/2013-0937/index.html?com.dotmarketing.htmlpage.language=1.

2. Corruzione

¹ Un chiarimento però è necessario. Ho fatto riferimento a un rapporto di corruzione tra un pubblico ufficiale e un privato. Esiste anche corruzione tra privati, ma di questa non mi occupo, per semplificare le cose. Chi è interessato a una discussione più precisa del termine "corruzione" può leggere il cap. I dell'ottimo libro *Atlante della corruzione* di Alberto Vannucci pubblicato da Edizioni Gruppo Abele (Torino) nel 2012.

² Tra gli altri, Piercamillo Davigo, nel suo *Il sistema della corruzione*, pubblicato da Laterza nel 2017, discute (soprattutto alle pp. 37 e 38) questi fattori che rendono difficile far emergere la corruzione. Il punto sulla mancanza di una vittima specifica è anche ripreso da Raffaele Cantone e Francesco Caringella nel loro *La corruzione spuzza* pubblicato da Mondadori nel 2017; e nel citato volume di Alberto Vannucci (pp. 72-73).

³ Trovate il rapporto all'indirizzo http://leg16.camera.it/494?categoria=027.

⁴ Secondo alcune ricostruzioni, per arrivare ai 60 miliardi qualcuno (non si sa bene chi) sarebbe partito da una stima fatta nel 2004 da un economista della Banca mondiale (Daniel Kaufmann) secondo cui il totale delle tangenti nel mondo era pari a 1 trilione di dollari, circa il 3 per cento del Pil mondiale. Non si sa come Kaufmann sia arrivato a questa stima (lui stesso non è stato in grado di indicarmi nessuna pubblicazione con i dettagli del calcolo). In ogni caso, qualcuno ha pensato che, se nel mondo le tangenti erano pari al 3 per cento del Pil, doveva essere lo stesso per l'Italia e il 3 per cento del Pil italiano nel 2008 valeva quasi 50 miliardi, che poi devono essere diventati 50-60 miliardi nel passaparola mediatico.

⁵ La frase sta a p. 237 del Giudizio di parificazione sul Rendiconto generale dello stato per l'esercizio finanziario 2008, Memoria aggiunta del Procuratore Generale (http://www.corteconti.it/attivita/procura/giudizio_parificazione/parifica_2008/; nella relativa pagina web il documento è datato 17 giugno, ma il documento stesso riporta la data corretta, cioè il 25 giugno).

⁶ Trovate il riferimento all'intervista all'indirizzo https://pagellapolitica.it/dichiarazioni/7584/corruzione-quanto-ci-costi-la-bufala-dei-60-miliardi.

⁷ Il riferimento è a p. 8 di *Fourth Evaluation Round – Corruption Prevention in respect of members of parliament, judges and prosecutors – Evaluation Report – Italy*, GRECO, Council of Europe, Strasbourg, 19 January 2017.

⁸ Il punteggio di Transparency International andava una volta da 0 a 10 (ora si è passati a una scala da 0 a 100); per esempio, nella classifica del 2008 c'erano 18 paesi compresi tra un punteggio di 5 e un punteggio di 6.

⁹ Si veda per esempio l'intervista apparsa sul "Sole 24 Ore" del 13 gennaio 2017: "Sulla corruzione dati numerici non esistono e chiunque dice che si può avere un numero dice una bugia. Gli unici sono le sentenze penali".

¹⁰ Vedi http://ec.europa.eu/transparency/regexpert/index.cfm?do=groupDetail.groupDetailDoc&id=21215&no=2. La pubblicazione purtroppo è molto in-

completa e parecchi paesi presentano classificazioni non standard dei reati di corruzione, oppure includono anche dati relativi alla corruzione tra privati. Infine, due paesi non hanno inviato dati affatto. Si tratta della Grecia e, purtroppo, proprio dell'Italia. I dati italiani sono peraltro disponibili. Evidentemente qualcuno non si è preso la briga di mandarli alla Commissione europea in tempo per la pubblicazione. Non abbiamo fatto una bella figura.

[11] Piercamillo Davigo, nel suo citato libro *Il sistema della corruzione*, segnala che il numero di condanne "in Italia è più basso rispetto, ad esempio, alla Finlandia (uno dei paesi ritenuti meno corrotti al mondo)". Il caso della Finlandia è citato anche da Alberto Vannucci (p. 83 del suo *Atlante della corruzione*). Gli unici dati di fonte ufficiale che ho trovato sulla Finlandia nella pubblicazione della Commissione europea includono però i reati di corruzione all'interno del settore privato e, quindi, non sono confrontabili con quelli italiani. Da notare che anche il dato della Germania riportato nel testo potrebbe essere gonfiato da questo fattore.

[12] Il dato delle condanne qui riportato si riferisce a un insieme di reati in materie simili: peculato (art. 314 del Codice penale), concussione (art. 317), corruzione per l'esercizio della funzione (art. 318), corruzione in atti giudiziari (art. 319ter), corruzione di persona incaricata di un pubblico servizio (art. 320), abuso d'ufficio (art. 323). Non sono incluse le condanne per istigazione alla corruzione (art. 322) e per reati simili relativi a funzionari dell'Unione Europea (art. 322bis).

[13] Lo trovate all'indirizzo http://citeseerx.ist.psu.edu/viewdoc/download?doi= 10.1.1.455.9702&rep=rep1&type=pdf.

[14] Nel fare confronti nel tempo bisogna tener conto che il numero dei paesi considerati dal sondaggio è cambiato nel corso degli anni, per cui occorre riproporzionare i risultati guardando alla posizione in termini di "percentile" della distribuzione. Per esempio, nel 1998 eravamo al 39mo posto, ma su 85 paesi, e quindi eravamo al 46 percentile, mentre ora siamo al 34mo percentile.

[15] Un lavoro di due economisti della Banca d'Italia (Lucia Rizzica e Marco Tonello) mostra proprio come le risposte alle domande sulla corruzione dell'indagine sulle famiglie italiane condotta ogni anno dalla Banca d'Italia siano influenzate da quanto riferiscono i media il giorno in cui le risposte sono fornite (si veda https://www.bancaditalia.it/pubblicazioni/temi-discussione/2015/2015-1043/index.html).

[16] Vedi ec.europa.eu/regional_policy/sources/docgener/work/2012_02_governance.pdf; l'indagine considerava quattro elementi di qualità delle istituzioni (livello di corruzione, rispetto del diritto, performance della pubblica amministrazione, grado di *accountability*).

[17] Si veda *La corruzione zavorra dello sviluppo*, pubblicato in "Scenari economici" nel dicembre 2014, p. 88.

[18] Dello stesso libro, *La corruzione spuzza*, si vedano anche le pp. 155-157 (e, in generale, l'intero cap. VIII) sulle diverse modalità di corruzione nella politica. Si nota, per esempio, che prima di Tangentopoli "il 42% dei politici incassava i soldi per il partito, ora lo fa solo il 7%".

[19] L'estensione dei danni, economici e non, causati dalla corruzione è il tema del già citato *La corruzione spuzza* di Cantone e Caringella. Gli autori sottolineano i danni per la tutela del territorio, le finanze pubbliche, il sistema educativo, la salute pubblica e il funzionamento della giustizia e della democrazia. Lo stesso tema è trattato da Alberto Vannucci alle pp. 210-246 dell'*Atlante della corruzione*.

[20] Altri dati comparati sui costi delle opere pubbliche prima e dopo Tangentopoli sono riportati a p. 198 del citato libro di Vannucci, che riporta anche confronti di costo tra paesi. Per esempio, negli anni precedenti Tangentopoli, "i lavo-

ri del passante ferroviario di Milano costano 100 miliardi al chilometro e durano 12 anni, quelli di Zurigo 50 e durano 7 anni".

[21] Trovate la frase citata a p. 69 del volume di Samuel P. Huntington, *Political Order in Changing Societies*, Yale University Press, New Haven and London 1973 (projects.iq.harvard.edu/gov2126/files/huntington_political_order_changing_soc. pdf; la traduzione è mia).

[22] Lo trovate all'indirizzo http://homepage.ntu.edu.tw/~kslin/macro2009/ Mauro%201995.pdf.

[23] Contenuto in una nota che trovate all'indirizzo https://sites.google.com/ site/lucioxpicci/costo_corruzione_italia.

[24] Altre stime dell'effetto della corruzione sul Pil italiano sono citate a p. 97 del libro di Cantone e Caringella.

[25] Mi rendo conto di semplificare. Alberto Vannucci in *L'evoluzione della corruzione in Italia: evidenza empirica, fattori facilitanti, politiche di contrasto* (Astrid) elenca sedici diverse cause della corruzione in Italia. Si veda http://www. astrid-online.it/static/upload/protected/Vann/Vannucci.pdf.

[26] Il *"Corruptissima re publica plurimae leges"* si trova nel libro III degli *Annales* al capoverso 27.

[27] Sia la citazione di Pagnoncelli che il riferimento a Leopardi e Manzoni sono contenuti a p. 81 di uno studio di Confindustria dal titolo *La corruzione, zavorra per lo sviluppo* ("Scenari economici", dicembre 2014), che, a sua volta, rimanda a un libro curato da Ferdinando Spina dal titolo *Alle origini della corruzione* (Il Settimo Libro, Brindisi 2014). Sono interessanti anche i riferimenti storici contenuti nel libro di Cantone e Caringella alle pp. 148-150.

[28] Uno studio del 2007 – basato sul mancato pagamento delle multe da parte di funzionari delle Nazioni Unite – mostra che esiste una forte correlazione tra livello di corruzione e abitudine a non rispettare le regole nella propria nazione di origine (vedi sites.bu.edu/fisman/files/2015/11/JPE07-parking.pdf).

[29] Si veda http://www.repubblica.it/la-repubblica-delle-idee/genova2015/dialoghi/2015/06/05/news/grandi_opere_e_corruzione-116096107/.

[30] La storia è un po' più complicata: nel 2012 viene attribuito il ruolo di autorità anticorruzione a un ente già esistente, la Civit (Commissione indipendente per la valutazione, la trasparenza e l'integrità delle amministrazioni pubbliche), che, nel 2012, viene ridenominata Autorità nazionale anticorruzione.

[31] Si veda http://www.altalex.com/documents/news/2017/01/16/la-dirigenza-pubblica-e-la-riforma-madia.

[32] Trovate il protocollo all'indirizzo http://www.anticorruzione.it/portal/rest/jcr/repository/collaboration/Digital%20Assets/anacdocs/Attivita/ProtocolliIntesa/prot.anac.Istat.22.03.16.pdf.

[33] L'esempio più concreto di questo fenomeno sta nell'ondeggiare, nella normativa sull'aggiudicazione di un appalto, tra il criterio dell'offerta economica più vantaggiosa e quello del prezzo più basso. Il primo criterio tiene conto non solo del prezzo, ma anche della qualità del prodotto, e lascia quindi più discrezionalità nella scelta. Il secondo criterio guarda solo al prezzo e lascia quindi meno discrezionalità. Il Codice appalti del 2016 è tornato a dare più spazio al criterio dell'offerta più conveniente, come principio generale, anche se in alcuni casi dà la possibilità di utilizzare il criterio del prezzo più basso.

[34] Si vedano l'intervista a Cantone apparsa sul "Corriere della Sera" il 20 gennaio 2017 (*I ritardi? Chi accusa i controlli vuole di nuovo le mani libere*) e quella a Sabino Cassese apparsa sul "Foglio" il 24 gennaio 2017 (*Cassese: "L'ANAC? Contrastare la corruzione senza rinunciare all'efficienza"*). Anche Giulio Napolitano in un articolo apparso sul "Corriere della Sera" il 28 aprile 2017 (*È atipico il*

ruolo dell'ANAC sui contratti pubblici) nota che l'Anac è talvolta coinvolta in attività atipiche per un'agenzia anticorruzione perché viene vista come un "jolly istituzionale [...] una carta che il legislatore ha giocato in circa una ventina di provvedimenti legislativi in meno di tre anni".

[35] Si veda http://www.repubblica.it/la-repubblica-delle-idee/genova2015/dialoghi/2015/06/05/news/grandi_opere_e_corruzione-116096107/.

[36] Vannucci nota anche che paesi dove attualmente la corruzione è bassa, come il Regno Unito e la Svezia, erano nel secolo XIX caratterizzati da profondi fenomeni di corruzione.

3. Eccesso di burocrazia

[1] Il trentaseiesimo aforisma recita: "Le leggi ottime sono le poche e brevi che s'accordano al costume del popolo e al bene comune. Le leggi tiranniche sono molti lacciuoli che ad uno o a pochi sono utili, e non s'accordano col costume pubblico, purché crescano gli pochi autori di esse".

[2] Il riferimento si trova nell'articolo di Marcello Clarich e Bernardo Giorgio Mattarella *Leggi più amichevoli per la crescita economica* pubblicato in "Quaderni Costituzionali", 30 (2010), n. 4, pp. 817-820.

[3] Trovate una descrizione delle operazioni taglia-leggi all'indirizzo http://www.funzionepubblica.gov.it/taglia-leggi.

[4] Vi faccio un esempio di complessità e lungaggine che ho trovato aprendo a caso il testo della legge di stabilità per il 2015: al comma 280 dell'unico articolo della legge si stabilisce che: "Tenuto conto della necessità ed urgenza di consentire agli utenti di usufruire di ulteriori servizi postali universali e di adeguare i livelli di servizio alle mutate esigenze legate all'offerta e qualità del servizio stesso in funzione del contesto tecnico, economico e sociale, l'Autorità per le garanzie nelle comunicazioni, anche al fine di assicurare la sostenibilità dell'onere del servizio universale in relazione alle risorse pubbliche disponibili come definite alla lettera b) del comma 274, provvede, ricevuta la proposta presentata dal fornitore del servizio universale, entro sessanta giorni a decorrere dalla data di comunicazione della proposta stessa, a deliberare nuovi obiettivi statistici di qualità e una nuova determinazione delle tariffe degli invii di posta prioritaria e degli altri servizi universali, individuando soluzioni che consentano la maggiore flessibilità nello stabilire le tariffe in correlazione all'andamento dei volumi di traffico". La definizione di "obiettivi statistici di qualità" è del tutto vaga e nessuna penalità viene associata al mancato adempimento del compito entro la scadenza prevista. In effetti, le scadenze previste dalle varie leggi non sono di norma prese seriamente, visto che, tanto, al mancato rispetto delle stesse non è associata nessuna penalità.

[5] Valga come esempio il comma 1 dell'articolo 24 del decreto legge 24 aprile 2017, n. 50 che recita (vi sfido a leggerlo senza prendere il fiato almeno un paio di volte): "All'articolo 1 della legge 11 dicembre 2016, n. 232, dopo il comma 534, sono inseriti i seguenti: '534-bis. Previo aggiornamento da parte della Conferenza Unificata, segreteria tecnica della Conferenza permanente per il coordinamento della finanza pubblica, del rapporto sulla determinazione della effettiva entità e della ripartizione delle misure di consolidamento disposte dalle manovre di finanza pubblica fra i diversi livelli di governo fino all'annualità 2016 e con la proiezione dell'entità a legislazione vigente per il 2017-2019, a decorrere dall'anno 2017, la Commissione tecnica per i fabbisogni standard di cui all'articolo 1, comma 29, della legge 24 dicembre 2015, n. 208, – sulla base delle elaborazioni e ricognizioni effettuate dalla Società Soluzioni per il sistema economico – Sose

S.p.A., attraverso l'eventuale predisposizione di appositi questionari, in collaborazione con l'ISTAT e avvalendosi della Struttura tecnica di supporto alla Conferenza delle Regioni e delle Province autonome presso il Centro interregionale di Studi e Documentazione (CINSEDO) delle regioni – provvede all'approvazione di metodologie per la determinazioni [*sic*; questo è un refuso, che è stato corretto in sede di conversione del decreto] di fabbisogni standard e capacità fiscali standard delle Regioni a statuto ordinario, sulla base dei criteri stabiliti dall'articolo 13 del decreto legislativo 6 maggio 2011, n. 68 e nelle materie diverse dalla sanità'". Non credo ci sia bisogno di commentare.

[6] Si veda il comunicato in www.cgiamestre.com/wp-content/uploads/2017/05/Comunicato-sui-controlli-alle-Pmi.pdf.

[7] Si veda il comunicato www.cgiamestre.com/wp-content/uploads/2017/01/ADEMPIMENTI2017.pdf.

[8] Il lettore affamato di notizie potrà trovare una discussione all'indirizzo http://www.panificatori.fvg.it/wp/2011/03/04/focus-liva-sul-pane-non-sempre-e-il-4/.

[9] Ne trovate un riassunto all'indirizzo https://www.istat.it/it/files/2015/12/Misurazione-degli-oneri-amministrativi-23_nov_2015-MOA.pdf.; l'Istat sta continuando a lavorare sulla quantificazione dei costi amministrativi (come descritto all'indirizzo https://www.istat.it/it/archivio/11750), ma non sono a conoscenza di stime più aggiornate.

[10] Vedi https://nouvelledigital.it/reteimprese_testing/wp-content/uploads/2017/09/La-ricerca-Scenari-di-crescita-in-presenza-di-una-semplificazione-amministrativa.pdf.

[11] La percezione delle imprese però potrebbe essere stata influenzata negativamente dalla recessione del periodo 2009-2012: quando le cose vanno male, si tende a lamentarsi di più di tutto.

[12] Supponiamo che stiate viaggiando in terza corsia e quello davanti vada piano. In teoria sembrerebbe consentito spostarsi in seconda corsia, rimanervi per un periodo sufficientemente lungo, accelerare poi e restare su questa corsia per un altro po' prima di tornare di nuovo sulla corsia di sinistra. Abbastanza complicato, non vi pare? La differenza tra passare e sorpassare è discussa per esempio nell'articolo all'indirizzo: http://www.ilgiornale.it/news/cronache/sorpassare-destra-ecco-quando-si-puo-parla-la-polstrada-1137324.html.

[13] Si veda il comunicato stampa all'indirizzo http://www.censis.it/7?shadow_comunicato_stampa=121123. Oltre alle cause economiche, l'instabilità politica è il principale fattore che scoraggia l'investimento estero.

[14] Il tema del formalismo della nostra cultura giuridica viene ripreso anche nel rapporto del Centro studi di Confindustria del giugno 2012 dal titolo *La lunga crisi: ultima chiamata per l'Europa – Liberare l'Italia dal piombo burocratico* (soprattutto alle pp. 94-95), consultabile all'indirizzo http://www.assolombarda.it/proposte-di-lettura/scelti-per-voi/la-lunga-crisi-ultima-chiamata-per-leuropa-liberate-litalia-dal-piombo-burocratico.

[15] Pubblicato da Editoriale Scientifica nel 2016, pp. 22-23.

4. Lentezza della giustizia

[1] Quasi il 40 per cento degli investitori esteri indica la lentezza della giustizia come uno dei principali deterrenti dell'investimento in Italia, contro un 35 per cento che invece indica come deterrente il peso della burocrazia (si veda il sito http://www.censis.it/7?shadow_comunicato_stampa=121123).

[2] L'indagine, condotta nel 2013 dalla American Chamber of Commerce in Italy, è citata alle pp. 20-21 dell'audizione della Banca d'Italia che trovate all'in-

dirizzo https://www.bancaditalia.it/pubblicazioni/interventi-vari/int-var-2014/audizione-050314.pdf.

[3] Per il periodo 1975-2009 i dati sono contenuti nell'articolo di Daniela Marchesi che trovate su http://www.lavoce.info/archives/1736/giustizia-civile/. I dati per il periodo 2009-2012 sono all'indirizzo https://www.giustizia.it/giustizia/it/mg_1_14_1.page?facetNode_1=0_10&contentId=SST993884&previsiousPage=mg_1_14.

[4] Trovate questi dati nel sito del ministero della Giustizia: https://www.giustizia.it/giustizia/it/mg_2_9_13.page.

[5] Trovate le statistiche sulla Cassazione civile all'indirizzo http://www.cortedicassazione.it/cassazione-resources/resources/cms/documents/LaCassazione-Civile_AnnuarioStatistico2016.pdf.

[6] I dati nel testo fino al 2014 sono tratti dalla figura a p. 5 di un lavoro intitolato *La performance del sistema giudiziario italiano* preparato per il ministero della Giustizia da Fabio Bartolomeo e Magda Bianco (vedi http://www.italiadecide.it/public/documenti/2017/1/23012017_La_performance_del_sistema_giudiziario_italiano_v_2.0.pdf). Le informazioni per il periodo 2014-2016 sono tratte dal già citato sito del ministero della Giustizia, anche se si riferiscono non al solo contenzioso di tribunale, ma anche a "categorie di affari a rapida lavorazione quali la volontaria giurisdizione, i decreti ingiuntivi, le separazioni e i divorzi consensuali".

[7] Una precisazione: il dato per il 2010 è tratto da una pubblicazione dell'Organizzazione per la cooperazione e lo sviluppo economico (*Giustizia civile: come promuovere l'efficienza*; tavola a p. 12) che trovate all'indirizzo http://www.oecd.org/economy/judicialperformance.htm. I dati per la riduzione della durata del primo grado e terzo grado sono tratti dalle pubblicazioni già citate nel testo. Quelle per il secondo grado sono tratte da una presentazione PowerPoint del ministro Andrea Orlando (slide 8) che trovate all'indirizzo http://www.ambberlino.esteri.it/ambasciata_berlino/resource/doc/2016/03/slide_it.pdf, anche se la riduzione si riferisce al triennio 2012-2015, piuttosto che al quadriennio 2010-2014. Si ottiene comunque una stima di una riduzione di solo pochi mesi dei procedimenti tra il 2010 e il 2014 anche confrontando i dati del 2010 di fonte Organizzazione per la cooperazione e lo sviluppo economico (2866 giorni) con quelli pubblicati nel citato lavoro di Bartolomeo e Bianco (p. 5) che indica per il 2014 una durata di 2807 giorni (due mesi in meno che nel 2010). Le due fonti utilizzano peraltro formule leggermente diverse per il calcolo della durata media dei procedimenti.

[8] Vedi http://ec.europa.eu/transparency/regdoc/rep/1/2017/EN/COM-2017-167-F1-EN-MAIN-PART-1.PDF.

[9] La già citata presentazione PowerPoint del ministro Orlando sottolinea come la posizione dell'Italia nella classifica del Doing Business indichi un notevole miglioramento: nel 2013 l'Italia era addirittura al 160mo posto, mentre ora siamo al 108mo. C'è stato però un cambiamento della metodologia seguita dalla Banca mondiale. Certamente nel 2013 non eravamo così indietro tra i paesi del mondo, ma il miglioramento non è dovuto a passi avanti compiuti dall'Italia, se non in misura molto più contenuta.

[10] Questi dati sono tratti da un rapporto del Fondo monetario internazionale che trovate su http://www.imf.org/en/Publications/CR/Issues/2016/12/31/Italy-Selected-Issues-41926 (all'interno del documento chiamato Selected Issues Paper, dovete guardare al lavoro intitolato *Judicial Reforms for Growth*, alla p. 5).

[11] Sulla diversa durata dei processi tra diverse regioni d'Italia, e sulla maggiore lunghezza dei processi rispetto all'estero anche nelle migliori regioni d'Ita-

lia, si veda altresì il rapporto del Centro studi di Confindustria del giugno 2011 (*Ripresa globale: dallo slancio al consolidamento. Italia in ritardo. La giustizia più veloce accelera l'economia*, in "Scenari economici") che trovate all'indirizzo http://www.mondoadr.it/wp-content/uploads/Rapporto-Confindustria-Giustizia-civile-e-mediazione.pdf.

[12] Daniela Piana, *Uguale per tutti? Giustizia e cittadini in Italia*, il Mulino, Bologna 2016.

[13] Trovate i dati all'indirizzo http://www.echr.coe.int/Documents/Stats_violation_1959_2016_ENG.pdf, colonna "length of proceedings".

[14] Trovate il video all'indirizzo http://www.ilfattoquotidiano.it/2016/05/19/milan-berlusconi-se-giocate-cosi-non-vi-pago-mi-fate-causa-un-processo-dura-8-anni/523545/.

[15] Si veda il sito https://www.imf.org/en/Publications/WP/Issues/2016/12/31/Judicial-System-Reform-in-Italy-A-Key-to-Growth-41313.

[16] Chi volesse approfondire la questione del rapporto tra giustizia e mercati del credito potrebbe leggere un lavoro di Magda Bianco, Tullio Jappelli e Marco Pagano all'indirizzo http://scholar.google.com/scholar_url?url=http%3A%2F%2Fdarp.lse.ac.uk%2FFrankweb%2Fcourses%2FEc501%2Fpagano.pdf&hl=en&sa=T&ei=Lpt3WayYJYmKmAG22KeoBA&scisig=AAGBfm3BqZwqPsUroAxJY5xMVlXGiHTgaQ&nossl=1&ws=1536x703.

[17] Si veda Associazione bancaria italiana, *Non-performing loans in the wake of crisis*, in "Temi di Economia e Finanza", Special Issues, 4, marzo 2016.

[18] Lo studio di Confindustria del 2011 trova che a una riduzione della durata dei processi del 10 per cento si associa un aumento del Pil pro capite dello 0,8 per cento. Non è chiaro a quale riduzione della durata dei processi si riferisca invece la stima riportata da Draghi.

[19] Trovate il lavoro all'indirizzo https://www.imf.org/external/pubs/ft/scr/2014/cr14284.pdf.

[20] Questo è evidente dalla figura 2.7 del rapporto Cepej del 2016, in cui l'Italia appare del tutto in linea rispetto alla media degli altri paesi.

[21] Questo è in linea con la generale tendenza a pagare i dirigenti pubblici più in Italia che all'estero, come discusso nel mio libro *La lista della spesa* (Feltrinelli, Milano 2015), alle pp. 118-121.

[22] I dati sono disponibili in http://seriestoriche.Istat.it/index.php?id=1&no_cache=1&tx_usercento_centofe%5Bcategoria%5D=6&tx_usercento_centofe%5Baction%5D=show&tx_usercento_centofe%5Bcontroller%5D=Categoria&cHash=965af3cafd9c924c11d53b4b9307fc74. I dati riportati sono relativi alla tavola sui procedimenti civili sopravvenuti per ufficio giudiziario ogni 1000 abitanti, anche se sono circoscritti a un numero limitato di materie.

[23] Lo studio più citato in proposito è quello di due economiste della Banca d'Italia (Amanda Carmignani e Silvia Giacomelli) che trovate all'indirizzo https://www.bancaditalia.it/pubblicazioni/temi-discussione/2010-0745/index.html; altri lavori che raggiungono la stessa conclusione sono citati alla nota 8 del rapporto di Confindustria. Un altro studio che raggiunge la stessa conclusione è quello di Paolo Buonanno e Matteo Galizzi che trovate all'indirizzo http://eprints.lse.ac.uk/60800/.

[24] Le citazioni sono tratte da un articolo dell'avvocato Marcello Adriano Mazzola pubblicato sul "Fatto Quotidiano" alcuni anni fa (http://www.ilfattoquotidiano.it/2014/08/18/riforma-della-giustizia-cause-troppo-lunghe-di-chi-e-la-colpa/1092994/).

[25] Daniela Marchesi, *Litiganti, avvocati e magistrati. Diritto ed economia del processo civile*, il Mulino, Bologna 2003.

[26] Per un'analisi dettagliata delle misure prese, il lettore può fare riferimento al lavoro della Banca d'Italia dal titolo *La giustizia civile in Italia: le recenti evoluzioni*, di Silvia Giacomelli, Sauro Mocetti, Giuliana Palumbo e Giacomo Roma pubblicato a fine 2017, disponibile all'indirizzo http://www.bancaditalia/pubblicazioni/qef/2017-0401/QEF_401_17.pdf.

[27] Con l'entrata in vigore della riforma nel settembre 2013, il numero dei tribunali è sceso da 164 a 140. Si sono poi eliminate tutte le 220 sedi distaccate. L'effetto è stato quello di aumentare di 15 chilometri la distanza media tra i cittadini e le sedi giudiziarie, per i tribunali che sono stati toccati dalla riforma. La questione dell'interrelazione tra economie di scala, specializzazione e produttività è discussa in dettaglio nel già citato libro di Daniela Marchesi.

[28] Non tutti sono però d'accordo sull'efficacia di questi metodi. C'è chi sostiene che il successo nel ridurre i tempi della giustizia civile a Torino siano venuti a scapito di un allungamento dei tempi della giustizia penale cui sarebbero state sottratte risorse.

[29] Trovate un articolo di Andrea Ichino su questo tema all'indirizzo http://www.pietroichino.it/?p=8226. L'articolo nota anche come le regole di mobilità dei magistrati ne riducano la produttività perché comportano la riassegnazione di procedimenti già avviati.

[30] Una precisazione: il problema è più acuto dove esiste solo una sezione per cui gli stessi giudici devono affrontare tutte le diverse specializzazioni/materie; se invece esistono diverse sezioni, queste tendono già a essere focalizzate sulle diverse materie.

5. Crollo demografico

[1] Si veda http://www.treccani.it/enciclopedia/giulia-e-papia-poppea-legge_(Enciclopedia-Italiana)/.

[2] Si veda l'edizione italiana Michel De Jaegher, *Gli ultimi giorni dell'Impero romano*, Libreria Editrice Goriziana, Gorizia 2016.

[3] La popolazione italiana cresceva a un tasso medio del 3,4 per cento ogni quinquennio sia nel periodo 1945-1975 sia, sorprendentemente, nel periodo 1900-1945; i maggiori tassi di natalità del periodo prebellico erano compensati da una più forte emigrazione, nonché dal più elevato tasso di mortalità durante le guerre.

[4] A essere pignoli, la popolazione si era ridotta anche nel 1986, ma il calo era stato di sole 4000 unità. Trovate i dati delle serie storiche sulla popolazione sul sito Istat: http://seriestoriche.Istat.it/index.php?id=1&no_cache=1&tx_usercento_centofe%5Bcategoria%5D=2&tx_usercento_centofe%5Baction%5D=show&tx_usercento_centofe%5Bcontroller%5D=Categoria&cHash=5dc94093f50e10c9e-55a034d4c6ba123. I dati ufficiali contengono peraltro un'anomalia: nel corso del 2013 la popolazione sarebbe aumentata di oltre un milione di unità, variazione che non è spiegata né dal saldo tra nascite e morti, né dal saldo migratorio. In altri termini, i conti non tornano, ed è probabile che l'Istat riveda la stima della popolazione per quell'anno e per gli anni circostanti.

[5] Uso il termine "medio" impropriamente, visto che i dati riportati nel seguito per Italia e altri paesi si riferiscono all'età mediana. L'età "mediana" è l'età al di sotto della quale sta metà della popolazione. Un'età mediana di 40 anni, per esempio, vuol dire che metà della popolazione ha meno di 40 anni. Uso la mediana piuttosto della media perché le statistiche dell'Onu sull'età della popolazione nei vari paesi riportano l'età mediana. Comunque, di solito, le variazioni dell'età

mediana sono vicine a quelle dell'età media. I dati Onu li trovate all'indirizzo https://esa.un.org/unpd/wpp/Download/Standard/Population/.

[6] In realtà il tasso di fertilità è definito in modo un po' più complicato, ossia sommando, per ogni età compresa tra i 14 e i 49 anni, il rapporto tra numero di figli nati in un anno da ogni donna di una certa età e il numero di donne di quell'età; è a questo concetto che si riferiscono i dati riportati nel testo.

[7] Trovate i dati a p. 144 del rapporto annuale dell'Istat del 2014 (https://www.istat.it/it/archivio/120991).

[8] Mia traduzione. Trovate il testo originale in inglese a p. 394 della pubblicazione dell'Organizzazione per la cooperazione e lo sviluppo economico *Education at a glance* del 2016.

[9] Il confronto è fatto con Francia, Germania, Giappone, Corea del Sud, Regno Unito e Stati Uniti.

[10] C'è anche da considerare il possibile effetto dei cambiamenti demografici sul tasso di risparmio e quindi di accumulo di capitale. Una popolazione che invecchia dovrebbe risparmiare di più per la vecchiaia e quindi accumulare capitale più rapidamente, e più capitale disponibile vuol dire più produttività. D'altro canto una volta che la popolazione è invecchiata il maggior consumo rispetto alla produzione degli anziani dovrebbe ridurre il tasso di risparmio e quindi l'accumulo di capitale.

[11] Lo trovate all'indirizzo https://www.imf.org/en/Publications/WP/Issues/2016/12/31/The-Impact-of-Workforce-Aging-on-European-Productivity-44450.

[12] Chi è interessato ad altri recenti lavori sul legame tra invecchiamento della popolazione e produttività può leggere uno studio di un altro economista del Fondo monetario relativo al Giappone (https://www.imf.org/external/pubs/ft/wp/2016/wp16237.pdf) e uno studio di tre economisti americani sugli Stati Uniti che trovate all'indirizzo http://www.nber.org/papers/w22452.

[13] Vedi http://www.istat.it/it/files/2017/04/previsioni-demografiche.pdf.

[14] Il lettore più attento avrà notato che sopra indicavo che l'età media attualmente è di 46 anni, ma, come spiegato in nota, il dato precedentemente riportato si riferiva all'età mediana.

[15] Si veda https://www.istat.it/it/archivio/185497.

6. Divario tra Nord e Sud

[1] In particolare, molti dati sono tratti dal rapporto consultabile all'indirizzo http://www.svimez.info/images/RAPPORTO/materiali2017/2017_07_28_anticipazioni_testo.pdf.

[2] Lo trovate all'indirizzo https://ideas.repec.org/a/rpo/ripoec/v97y2007i2p267-316.html.

[3] Un lavoro di Emanuele Felice pubblicato nell'agosto 2017 nei "Quaderni di Storia Economica" della Banca d'Italia, *The Roots of a Dual Equilibrium: GDP, Productivity and Structural Change in the Italian Regions in the Long-Run (1871-2011)*, stima che nel 1871 il reddito pro capite del Meridione fosse comunque già inferiore del 15 per cento rispetto a quello del Centro-Nord. Trovate il lavoro all'indirizzo http://www.bancaditalia.it/pubblicazioni/quaderni-storia/2017-0040/index.html?com.dotmarketing.htmlpage.language=1.

[4] Lo trovate all'indirizzo http://edizionicafoscari.unive.it/it/edizioni/libri/978-88-6969-017-4.

[5] Fornite, per esempio, da tre studiosi dell'Università di Roma "Tor Vergata", Nicola Amendola, Giovanni Vecchi e Bilal Al-Kiswani, che trovate all'indirizzo https://mpra.ub.uni-muenchen.de/23486/.

[6] Le stime indicano che il tasso di inflazione nel Sud dopo il 1951 è stato più basso di quello del Nord, sicché il recupero di reddito negli anni cinquanta e sessanta è stato più forte (e la perdita dopo il 1971 meno forte) di quello indicato dai dati non corretti per l'inflazione.

[7] Si veda https://nicholascharron.wordpress.com/european-quality-of-government-index-eqi/.

[8] Li trovate all'indirizzo https://www.assobiomedica.it/it/analisi-documenti/dso/index.html.

[9] Trovate i dati all'indirizzo http://www.mit.gov.it/comunicazione/news/simoi-anagrafe-opere-incompiute.

[10] Lo trovate all'indirizzo https://www.bancaditalia.it/pubblicazioni/temi-discussione/2011/2011-0786/index.html?com.dotmarketing.htmlpage.language=1.

[11] Il tema della redistribuzione del reddito tra regioni attraverso l'occupazione pubblica è stato studiato in un lavoro di Alberto Alesina, Stephan Danninger e Massimo Rostagno che trovate all'indirizzo https://www.imf.org/external/pubs/ft/wp/1999/wp99177.pdf.

[12] Il primo lavoro, intitolato *The Origins of the Sovereign Debt of Italy: A Common Pool Issue?*, è del 2012 e lo trovate all'indirizzo http://www.academia.edu/20060334/The_Origins_of_the_Sovereign_Debt_of_Italy_a_Common_Pool_Issue; il secondo lavoro, dal titolo *The Origins of the Public Debt of Italy: Geographically Dispersed Interests?*, è del 2014 e lo trovate all'indirizzo http://isiarticles.com/bundles/Article/pre/pdf/23648.pdf.

[13] Lo trovate all'indirizzo http://www2.stat.unibo.it/brasili/file/2013-2014/PESS/Gli%20indicatori%20per%20la%20misura%20del%20capitale%20territoriale_RegiosS.pdf. Risultati sostanzialmente simili, ottenuti includendo indicatori, tra gli altri, della partecipazione elettorale, della donazione di sangue, della partecipazione a società sportive, sono stati elaborati da Roberto Cartocci, anche lui dell'Università di Bologna, in uno studio che trovate all'indirizzo http://www.regione.emilia-romagna.it/infeas/documenti/progetti/citta-civili-dellemilia-romagna/capitalesociale.pdf/wiew.

[14] Lo trovate su https://www.oecd.org/skills/nationalskillsstrategies/Diagnostic-report-Italy.pdf dove è particolarmente interessante la figura 15 a p. 96.

[15] L'Istat (http://www.istat.it/it/files/2017/03/Statistica-report-Indicatori-demografici_2016.pdf; p. 6) nota che il numero dei morti per 1000 abitanti è più basso al Sud, ma sottolinea che questo non tiene conto proprio del fatto che ci sono più anziani al Nord. I dati aggiustati per queste differenze demografiche ci dicono che la mortalità è più alta al Sud: 8,7 per 1000 abitanti nel 2017, contro il 7,9 del Centro-Nord.

[16] Si veda il rapporto preparato congiuntamente dallo staff del Fondo monetario internazionale, Organizzazione per la cooperazione e lo sviluppo economico, Banca mondiale e Nazioni Unite che trovate all'indirizzo https://www.imf.org/external/np/g20/pdf/101515.pdf.

[17] Ne trovate un riferimento all'indirizzo http://www.pietroichino.it/?p=40690; si veda anche l'articolo http://www.repubblica.it/economia/2016/06/06/news/la_ricerca_secondo_uno_studio_di_ichino_boeri_e_moretti_i_contratti_nazionali_con_stipendi_piu_o_meno_uguali_per_tutt-141378958/.

7. *Difficoltà a convivere con l'euro*

[1] In questo esempio il prezzo di vendita della moto è fissato sui mercati internazionali perché le moto sono, almeno così assumiamo, perfettamente uguali. Se le moto fossero un po' diverse allora, probabilmente, l'impresa italiana po-

trebbe cercare di mantenere il proprio margine di profitto aumentando il prezzo della moto. Questa sarà un po' più costosa di quella tedesca ma ci sarà ancora qualcuno disposto a comprarla. Ma l'impresa venderà comunque meno. Quindi nel primo caso la perdita di competitività si manifesta in una caduta dei profitti e della produzione nel lungo periodo (visto che si fanno meno investimenti), mentre nel secondo caso la perdita di competitività si manifesta immediatamente in una minore produzione. In entrambi i casi l'impresa sta peggio.

[2] Nell'esempio delle due imprese italiana e tedesca che vi avevo fatto, il prezzo della moto era fissato sui mercati internazionali. I prezzi interni di un paese sono un insieme di prezzi determinati sui mercati internazionali e di prezzi determinati internamente, soprattutto per quei prodotti che non sono esposti alla concorrenza internazionale (come molti dei servizi). Per questo può succedere che non solo i salari, ma anche i prezzi possano crescere più in un paese che in un altro nella stessa area a moneta comune.

[3] Al netto degli effetti legati al surriscaldamento dell'economia (cioè in termini strutturali), il surplus primario delle pubbliche amministrazioni è sceso da oltre il 5 per cento del Pil nel 1999 allo zero nel 2006, rimbalzando solo nel 2007 (dopo il cambio di governo nel maggio 2006 e con Padoa-Schioppa come ministro dell'Economia e delle Finanze), ma restando comunque sotto il 2 per cento.

[4] Negli anni successivi i nostri conti con l'estero tornano in surplus, ma non fatevi ingannare. Il miglioramento è dovuto in gran parte alla debolezza della domanda interna. La caduta del reddito ci rende più poveri e si riducono anche le importazioni; inoltre, la bassa domanda interna spinge le imprese a fare di tutto per vendere all'estero, magari anche in perdita o con margini di profitto bassissimi, da cui un recupero delle esportazioni. Ma, in condizioni normali di domanda interna e occupazione probabilmente saremmo ancora in deficit. Inoltre, un paese come il nostro che invecchia più rapidamente di altri dovrebbe accumulare ricchezza per spenderla in futuro, dovrebbe avere un surplus con l'estero (sempre in condizioni normali di domanda) non un deficit.

[5] Alcuni dei temi trattati in questo paragrafo sono discussi anche nel cap. 6 del mio citato libro *Il macigno*, cui rimando soprattutto per la discussione degli effetti di un'uscita dall'euro sulle finanze pubbliche.

[6] Questo *overshooting* è stato studiato a fondo a partire da un lavoro pubblicato nel 1976 da Rudiger Dornbusch (*Expectations and Exchange Rate Dynamics* in "Journal of Political Economy", vol. 84, 6 (dicembre 1976), pp. 1161-1176, http://www.mit.edu/~14.54/handouts/dornbush76.pdf.

[7] C'è anche chi dice che uscire dal sistema di pagamenti europeo sarebbe così complesso da rendere in pratica impossibile l'uscita dall'euro. Alcuni dicono che occorrerebbero dodici-diciotto mesi di lavoro durante i quali regnerebbe il caos più completo nelle transazioni monetarie.

[8] Si tratta, in termini tecnici, del saldo del Target2, il sistema dei pagamenti europei, saldo che cresce quando le transazioni commerciali e finanziarie tra residenti italiani ed esteri non bilanciano. I dati si trovano su http://sdw.ecb.europa.eu/reports.do?node=1000004859.

[9] Non è una critica al Fondo. È come chiamare i pompieri quando la casa brucia. I pompieri arrivano e riescono a spegnere l'incendio. Ma per farlo spaccano finestre, buttano giù porte, non si preoccupano del mobilio. Non è colpa loro: in situazioni di emergenza occorre usare metodi spicci.

Indice